資訊
檢索中「相關」概念之研究

黃慕萱

臺灣學生書局印行

自　序

「相關」概念在資訊檢索中之所以位居核心概念，主要是由於資訊系統的目的在檢索相關資訊，及系統評估所使用的測量值大多是相關導向的回收率和精確率等因素所造成。因此，惟有加強對相關概念的了解，才有可能從本質上改進資訊系統，讓資訊系統真正成爲知識溝通的橋樑。尤其是處於資訊時代的今日，掌握相關或有用的資訊已成爲提高國力及競爭力的不二法門，所有有關相關之理論型及實證型研究也愈發凸顯其重要性。

本書從理論與實證二個不同的觀點研究相關概念。在理論方面，首先介紹以相關爲核心的資訊檢索五大基本概念，其次介紹相關概念之歷史、發展、及其實證型研究結果，而後探討相關概念在系統評估上的應用、爭議、及其所帶來的省思。在實證方面，本書分爲二大部分探討，第一部分的重點在描述資訊需求者相關判斷的結果，除實際分析訪問所得之每一次相關判斷評級、瀏覽欄位、判斷依據、和所耗費時間外，並企圖探討可能影響相關判斷結果之因素。第二部分則從引用文獻的角度探討心理相關，除設法了解檢索所得書目和實際引用書目間的差異外，並系統化地研究相關書目不被使用的原因及其他非線上檢索所得之參考書目來源，企圖深入探討相關概念和讀者使用間微妙而複雜的關係。

本書爲作者研究及教學之心得結晶。返國數年來，承蒙師長的提攜及同儕的關愛，深感在心！本書雖力求完妥，然受限於時間及個人才力，疏漏自所難免，尚祈學界與業界先進不吝賜教為禱！

本書承台大圖書館學研究所王慧玉及曾繁絹二位同學協助打字、排版、校對和編製索引等事宜，特此致謝！最後，感謝父母親的愛護與幫忙，以及外子的支持與鼓勵，使筆者在教書、研究之餘，能專心撰稿，而無後顧之憂，在此致上最深的謝意！

黃慕萱 謹識
民國 85 年 4 月
於國立台灣大學

資訊檢索中「相關」概念之研究

目　次

圖表目次

第一章 緒論

第一節 研究緣起與目的

資訊系統的主要目的是在提高溝通（ communication ）的效果，而「相關」（ relevance ）正是提昇溝通效果的關鍵，惟有不斷地提供「相關的」（ relevant ）資訊，溝通才能發揮最大的效果。（註 1）因此，惟有加強對「相關」概念的了解，才有可能從本質上改進資訊系統，讓資訊系統真正成爲知識溝通的橋樑。尤其是處於資訊時代的今日，掌握相關或有用的資訊已成爲提高國力及競爭力的不二法門，所以關於相關的理論型及實證型研究也愈發凸顯其重要性。

在資訊科學中，相關是一個不斷在討論中成長的核心概念，將其稱之爲資訊檢索之心臟一點也不爲過。一般而言，相關之所以在資訊科學中佔有如此重要的地位，除因資訊檢索的目的在檢索相關資訊外，系統評估所使用的測量值也大多與相關有關，例如回收率和精確率都必須求得相關資料之筆數，因此不管在資訊檢索或是系統評估中，相關都扮演舉足輕重的角色。而除資訊科學外，在傳播學中，相關也是非常重要的概念，不過就此二領域而言，相關都仍是模糊且尚待定義之基本概念。

事實上，相關在日常生活中是一個相當普遍然缺乏定義的名詞，談話過程需要相關話題才能繼續進行，檢索時也需要相關資訊讀者才會覺得滿意。一般而言，二人對話的意義是建立在彼此對相關事物的共識上，如果雙方無法取得共識，一定會覺得話不投機，尤其是在具有目的的談話中。在言談進行時，話題的相關與否不一定是由主題決定，而每個人對相關的範圍也可能有不同的認定。就如同上課時學生提出之問題一般，學生一定是覺得該問題與課堂上的討論相關才會發問，但老師卻不一定認爲此問題相關，其他同學對此問題之相關程度也可能會有不同的判斷。再以石門水庫乾旱缺水爲例，由於每個人所處的情境不同，有人可能會馬上想到自己家裡的用水問題，但也有人會想到環保問題或是旅遊問題。資訊檢索上之相關亦然，主題相關並不是決定文章相關與否的惟一因素，很多情境因素都會影響相關判斷的結果，所以相關在資訊檢索上始終是個相當具爭議性及複雜性的概念。

線上資訊檢索系統可視爲一部相關判斷的機器，檢索者通常以詞彙和布林邏輯運算元結合來表達其資訊需求，系統即依據檢索者輸入之檢索條件進行相關判斷，將其（系統）所判斷爲相關之資訊呈現給讀者，由於系統通常只是根據檢索詞彙和描述文件詞彙之間的配對（ match ）判斷相關，因此不管是張三或李四，只要輸入相同的詞彙，他們一定會得到相同的檢索結果。這種以詞彙配對的檢索方式，完全無法超越主題相關的層次，很可能是資訊檢索結果不能滿足讀者需求的主要原因之一。事實上，即使是針對相同主題的檢索問題，資訊需求者對相關資訊之要求還是各有不同，所以理想的系統應該根據讀者的知識狀態給予不同的檢索結果，絕非一成不變地對相同的問題提供相同的檢索結果。換言之，資訊檢索系統相關判斷的結果，應該和資訊需求者相關判斷之結果一致（即電腦判斷相關的結果等於資訊需求者個人判斷相關的結果），因此，惟有先了解人類相關判斷的過程與決策，才有可能設計出此一理想之資訊檢索系統。

總而言之，相關在資訊檢索中是一公認的核心概念，但人們有時可能認為它熟悉到不需要定義，有時又可能覺得它複雜到無法以任何定義加以釐清，因此，圖書資訊學界有關相關的實證型研究，實驗對象都是以個人心目中之相關概念進行相關判斷，難免在研究結果的解釋上帶來一些爭議。正因如此，在缺乏典範及操作型定義的資訊科學研究中，如何了解相關的本質並成功地定義相關，絕對是一個值得努力的方向。相關概念的重要性雖然無庸置疑，然而卻是國內學者鮮少涉獵的研究領域，所以更凸顯此方面研究之重要性。因此本書的目的在針對相關概念進行理論性探討和實證性分析，除剖析相關概念之本質、發展、和應用外，並嘗試實際蒐集資料，以實證的角度深入地了解國人相關判斷的特性，並測試心理相關的應用層面。本書共分八章，第一章和第二章分別爲緒論和研究方法，第三章至第五章的重點是相關概念之理論探討，第六章和第七章爲相關概念之實證型研究，而第八章則爲結論。希望藉此喚起國人對相關研究的重視，因爲語言文化的不同，一定會造成國人和歐美人士相關判斷上的差異，我們不可能完全沿用國外相關研究的結果，非得建立本土化的相關研究，才有可能設計出適合國人使用之理想資訊檢索系統。

第二節 相關概念之理論探討

由於理論爲實證研究之基礎，故本書第三至第五章將致力於相關概念之理論探討，並對各家重要研究加以闡述與評析。一般而言，相關概念之所以重要，在於資訊檢索的目的是爲找尋相關資訊，及系統評估的測量值大多與相關有關等因素，因此本研究將以資訊檢索和系統評估二種不同角度來審視相關概念。在資訊檢索方面，本書將從相關概念本身及資訊檢索的其他重要概念與相關概念的關係來探討此核心概念。至於系統評估方面，本書除探討相關導向之測量值外，並將對效用派理論詳細地加以介紹，然後再討論系統評估之研究結果帶給圖書館界的省思。

首先探討資訊檢索之基本概念。 Patrick Wilson 認爲資訊檢索領域包含五大基本概念，分別是「資訊」、「關於」（ about ）、「相關」、「需求」（ need ）、和「用途」（ use ）。

（註 2）根據 Harter 所提出之「資訊即相關」的看法，此五大概念實以相關爲核心互相貫串。事實上，Harter 之所以會提出資訊即相關的說法，是因爲資訊檢索的目是爲檢索相關資訊，所以資訊本身自然包含相關的意義在內。（註 3）再者，相關資訊是爲滿足讀者之資訊「需求」，而整理組織資訊的重點則在探討文件所「關於」之主題，也就是說，系統設計者必須蒐集檢索者之資訊需求（輸入一）及文件所關於之主題（輸入二），使用者才有可能檢索出其所需之相關文獻，所以需求和關於二概念已與相關概念互相結合。至於用途概念，雖說相關派學者認爲系統應提供相關的資訊，而效用派學者認爲系統應提供有用的（useful）資訊，但由於效用派的理論已逐漸融入相關派中，因此用途可視爲相關的類同義詞。換言之，此五大概念以相關爲核心環環相扣，其關係可藉著 Soergel 之資訊系統結構圖清楚表示如下（圖 1-1）：

在「資訊」概念方面，由於其僅存於人類心靈之中，因此所有書籍文獻中之文字符號都只是記載心路歷程的符號，雖說這些文字符號經常被用來表達資訊，但其絕非資訊本身，充其量只能被視爲資訊的載體。一般而言，目前資訊系統所提供之檢索結果通常爲可能包含相關資訊之文件，或是和某一主題有關之所有資訊，因此只能稱其爲內容檢索（content retrieval），而非資訊檢索（information retrieval）（註 4）；再者，目前資訊系統所檢出之資訊真僞難分，而

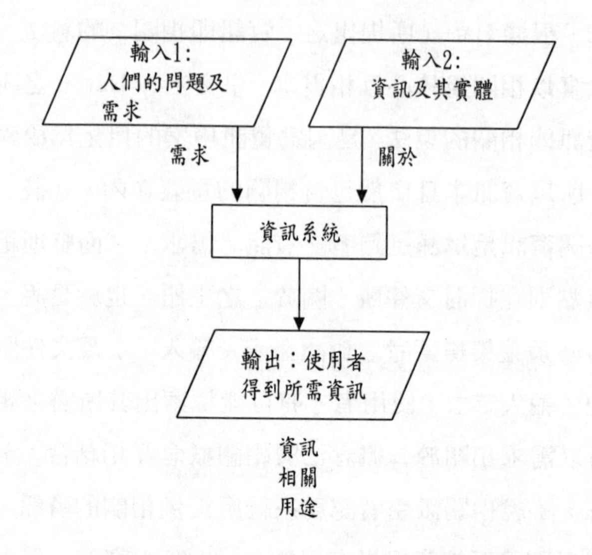

圖 1-1 :資訊檢索之五大概念與資訊系統關係圖

資料來源: Dagobert Soergel, Organizing Information: Principles of Data Base and Retrieval Systems (New York: Academic Press, 1985), p.3.

不正確資訊(或誤訊, misinformation)可能比沒有資訊帶給資訊需求者更大的傷害。(註 5)因此,資訊系統除提供相關資訊外,還必須注意資訊之正確性,惟有提供正確且相關的資訊,資訊才能發揮其在決策上應有的貢獻。

在「關於」概念上,由於分類編目和索引摘要等工作可視爲決定文件是否關於某主題的處理過程,因此「關於」一直是資訊科學的核心概念之一。事實上,整理組織資訊不僅可從文件之主題層面加以考量,也可以根據其他非主題層面進行分編或索摘。而線上檢索所得書目之低引用率，是否正是圖書資訊從業人員以主題爲整理組織資訊惟一方式之警訊，是頗值得吾輩深思之議題。

在「需求」概念上，早期的文章大多在探討其與「想要」（want）、「缺乏」（lack）等概念間之異同，近期文獻則強調資訊需求的多變性。Kuhlthau 指出檢索問題的文字性敘述，可以有效地反應出檢索者在某一特定時間內之思考重點和思路變化（註 6）；Harter 則認爲資訊需求是指在某特定時間，使用者對檢索問題之知識狀態或認知狀態（註 7），充分表現出資訊需求動態變化的本質。事實上，如何因應動態的資訊需求是現今資訊檢索系統發展的特色之一，隨著資訊需求的不斷變化，讀者認爲相關的資訊自然隨之而變。

至於「相關」和「用途」二個概念，因爲相關的資訊不一定有用，而有用的資訊也不一定相關，因此相關派和效用派過去曾經各霸一方，一直是資訊檢索領域上的爭議所在。目前相關派學者不斷地吸收效用派理論，例如 Harter 之心理相關，即將引用書目視爲讀者最後使用之書目，使效用派和相關派的觀點完全融合。（註 8）一般而言，相關派除了借取效用派的理論外，其本身也不斷地進步與發展，從原始的靜態定義（相關是資訊條件敘述和文章內容間之一致性）（註 9），加上推理的邏輯相關（logical relevance）（註 10），而後演進至動態的情境相關（situational relevance）（註

11）和心理相關（psychological relevance）（註 12），充分顯示相關已突破傳統之主題相關和靜態模式，從認知狀態或是知識狀態的改變來看相關，已經成為相關概念發展的方向。

最後探討系統評估和相關的關係。由於資訊檢索系統的評估，一直缺乏公認的評估標準，過去相關派和效用派雖曾鼎足而立，但目前相關派已經佔絕對優勢，因此目前最常使用的評估標準是相關導向的回收率（recall ratio）和精確率（precision ratio）。（註 13）一般而言，無法明確定義相關是系統評估的致命傷，再加上回收率和精確率成反比的關係，及無法正確計算系統中相關文章的筆數，在在使得系統評估的腳步裹足不前。在系統評估的領域中，目前仍需致力於尋找合適的評估標準，但以現有評估標準所進行之大型系統評估實驗，卻一再帶來發人深思的研究結果。不管是Cleverdon的Cranfield研究（註 14）、Salton的自動索引研究（註 15）、或是Blair和Maron的STAIRS系統之研究（註 16），不斷地證實控制詞彙檢索（人工索引）比不上關鍵字的後組合檢索（自動索引）。因此，圖書資訊人員整理組織資訊時廣為採用的分類編目與索引摘要的方式也倍受質疑。但與其否定內容分析的重要性，不如共同思索更好的整理組織資訊之方式，才是圖書資訊使用者的最大福音。

第三節 相關概念之實證研究

本書除致力於相關概念之理論探討外，並利用實證研究法調查國人相關判斷的特性及測試心理相關之應用層面。在實證研究方面，擬以具備資訊需求之國立台灣大學教職員生爲實驗對象，在全世界最大之書目檢索系統 Dialog 上進行檢索，以便實際蒐集檢索所得書目。具體而言，本研究將以問卷法了解讀者的背景資料和資訊需求，待讀者檢索完畢後，再以結構式訪問法探討讀者相關判斷的結果。而當研究對象完成其學期報告或論文後，再次以結構式訪問法瞭解相關書目不被引用的原因及非線上檢索所得之被引用書目的來源。

本研究共有 33 位資訊需求者，他們總共完成了 41 次檢索，而這些檢索是 40 份報告之參考書目的重要來源之一。由於每位檢索者可能進行不只一次之檢索（其中最多者高達 3 次檢索），也可能撰寫數份報告（最多爲 2 份），同時一次檢索可能是數份報告之參考書目來源（最多爲 2 份），所以不是「一位檢索者 → 一次檢索 → 一份報告」之典型狀況。大致而言，上述 41 次檢索總共產生 1557 筆書目，其中相關書目爲 938 筆，佔所有書目之 60.3 %，也就是說，大約 6 成的檢索書目被讀者判斷爲相關書目。但在這 1557 篇文章中，只有 97 篇被引用，比例非常低，僅佔 6.2 %。即使是以相關書目的引用程度來看（ 938 篇相關書目中有 95 篇被引用，另有2篇不相關書目被資訊需求者引用），比例也只有10％，比起 Penhale 和 Taylor 的研究結果（線上檢索書目被列入文後參考書目的比例只有 25%）（註 17），國人的引用程度顯然偏低。再者，在這 40 份報告中，文後參考書目總共有 1185 篇，其中英文的書目高達 944 篇（80％），因此參考書目來自於線上檢索的比例也是10%（97篇除以944篇），換言之，90%的英文參考書目是資訊需求者經由其他管道所獲得。如果將線上檢索檢出書目視為系統相關判斷的結果，而參考書目視為讀者最後相關判斷的結果，這其中的差異不可謂不大；再加上讀者原先認為約有6成的檢索書目是相關的，但最後只引用了其中的一成（6成書目被判斷為主題相關，但只有一成書目為心理相關），而且高達9成的參考書目是來自於其他管道，除充分顯示出相關的動態本質外，也透露出主題相關可能不是判斷相關與否的最重要依據。

上述研究將相關概念與引用書目結合，與 Harter 所提出之「心理相關」實有異曲同工之妙。大體而言，心理相關是以動態和認知的觀點來探討相關概念，而 Harter 所認為之心理相關資訊實為改變知識狀態或產生文字關聯效果（contextual effect）之資訊，因此引用文獻正是此類資訊之最佳代表。一般而言，作者之文後引用書目往往不會局限於同一主題，而是所有能改變知識狀態或產生文字關聯效果之文獻（正是 Harter 所謂之心理相關之資訊）。（註 18）從此角度出發，理想的線上檢索系統應該檢索出資訊需求者最後認為相關或有用的書目，也就是執筆者文後所附之引用書目。然而本研究之實證結果卻再度證實線上檢索所得書目之低引用率，因此其對心理相關的應用層面、主題相關的局限、及相關概念理論的再突破都將有所貢獻。

附 註

註 1 Tefko Saracevic, "Relevance: A Review of the Literature and a Framework of Thinking on the Notion in Information Science," in Advances in Librarianship, vol. 6, ed. M. J. Voigt and M. H. Harris (N.Y. : Bowker, 1970), pp.81-82.

註 2 Patrick Wilson, "Some Fundamental Concepts of Information Retrieval," Drexel Library Quarterly 14:2 (April 1978), pp.10-24.

註 3 Stephen P. Harter, "Psychological Relevance and Information Science," Journal of the American Society for Information Science 43:9 (1992), pp.611-612.

註 4 Wilson, op. cit., pp.12-13.

註 5 Ibid., pp.11-12.

註 6 Carol Collier Kuhlthau, "A Process Approach to Library Skills Instruction," School Library Media Quarterly 13 (Winter 1985), pp.35-40.

Carol Collier Kuhlthau, "Longitudinal Case Studies of the Information Search Process of Users in Libraries," Library and Information Science Review 10 (1988), pp.257-304

註 7 Harter, op. cit., pp.602-615.

註 8 Ibid., pp.612-613.

註 9 Carlos A. Cuadra and Robert V. Katter, Experimental Studies of

Relevance Judgments: Final Report. I: Project Summary (Santa Monica, Calif. : System Development Co., 1967), p.51. NSF Report No. TM-3520/001/00.

註10 William S. Cooper, "A Definition of Relevance for Information Retrieval," Information Storage & Retrieval 7 (1971), pp.19-37.

註11 Patrick Wilson, "Situational Relevance," Information Processing & Management 9 (1973), pp.457-471.

註12 Harter, op. cit., pp.602-615.

註13 Louise T. Su, "Evaluation Measures for Interactive Information Retrieval," Information Processing & Management 28:4 (1992), p.503.

註14 Cyril. W. Cleverdon and J. Mills, "The Testing of Index Language Devices," Aslib Proceedings 15:4 (1963), pp.106-130.

Cyril W. Cleverdon, "The Crandfield Tests on Index Language Devices," Aslib Proceedings 19:6 (1967), pp.173-194.

註15 G. Salton, "Recent Studies in Automatic Text Analysis and Document Retrieval," Journal of the ACM 20:2 (1973), pp.258-278.

G. Salton, E. A. Fox, and H. Wu, "Extended Boolean Information Retrieval," Communication of the ACM 26:11 (1983), pp.1022-1036.

註16 David C. Blair and M. E. Maron, "An Evaluation of Retrieval Effectiveness for a Full-Text Document Retrieval System," Communication of the ACM 28:3 (1985), pp.289.

David C. Blair and M. E. Maron, "Full Text Information Retrieval:

Further Analysis and Clarification," Information Processing & Management 26:3 (1990), pp. 437-447.

註17 Sara J. Penhale and Nancy Taylor, "Integrating End-user Searching into a Bibliographic Instruction Program," RQ 26 (Winter 1986), pp.212-220.

註18 Harter, op. cit., pp.602-615.

第二章 研究方法

研究一問題所採用的方法應能反應該問題的研究狀況。過去定量法（quantitative method）幾乎主導整個行為社會科學的研究，圖書資訊學方面的實證研究自然也不例外。近年來研究典範逐漸變遷，定性法（qualitative method）的研究愈來愈多，研究方法似乎有由量而質的轉變。一般而言，定性法是一種整體的、歸納的、崇尚自然的方法，它的優點是可以在自然的環境中深入研究發生的現象。在進行定性研究時，通常在不預設前提假設的開放性問題下，研究者對可能發生的現象及關係都保持接納的態度；一旦有某些固定的行為模式開始出現，研究的焦點將會轉到對這些模式的證實上。（註 1）正因為研究者經常無法控制自然環境中之所有變因，因此許多學者認為定性法是研究複雜社會現象較好的一種方法。而定量法則是數值性的、推論的、及較容易操作的，它的長處在於可以統計或其他方法操作及控制外來的變因。（註 2）和定性法比較起來，定量法產生的結果比較容易有效地推廣應用，藉由預先設定的假設，研究者可以針對問題進行精確的假設測試，進行數據上的比較及統計上的推論等。

換言之，理論及研究基礎薄弱的問題較適合以定性法研究，而較具理論及研究基礎的問題則較適合定量法。本書的實證部分主要在了解國人相關判斷的特性及心理相關的應用情況，雖說相關研究的歷史源遠流長，但由於相關判斷是極複雜的行爲，可能同時受到多種因素影響，再加上部分變因無法直接觀察及控制，因此似乎以採用定性法較爲適合。不過，本研究因爲蒐集大量數據及考慮研究對象配合上的困難，無法以定性法進行研究，換言之，爲方便統計處理，實證部分不得不採用定量的觀點。事實上，定量法和定性法並非截然對立之二分法，二種研究方法均有其優缺點，研究者可從不同角度探討同一問題，才能更深入地了解問題的真相。因此，凡能解決問題的方法，就是好的研究方法，而基於考慮研究對象的配合意願及處理龐大數據資料的需要，定量法對本書之實證研究而言，實不失爲最合適的研究方法。

第一節 研究設計

大多數的研究都必須和現實妥協，且研究者必須儘量避免干擾實驗對象，以免影響他們正常的行爲過程。由於相關概念動態的本質，本書之實證研究在設計之初擬偏重質的研究而採個案研究法，但因爲無法吸引足夠的實驗對象進行多次檢索，亦即無法掌握讀者資訊需求及相關判斷之即時變化，因此只好放棄定性法而採用定量法進行研究。再者，一般檢索者在進行檢索時，均僅轉錄其認爲相關之書目，而研究相關判斷則需要完整的檢出書目方能進行，爲方便抓取所有書目且不影響檢索者之正常行爲，研究者不得不修改原來的自然研究環境，設計一半自然的研究環境並採用願意配合的檢索者來達成研究目的。具體而言，本實證研究以 Dialog 系統爲實際檢索系統，檢索者在一學年內（ 1995 年 3 月至 12 月），可以無限次數地免費使用 Dialog 線上檢索系統，但必須以指令式語言操作之。本研究並提供檢索者自由選擇 Dialog 系統之所有資料庫進行檢索的機會，企圖以資料庫的多元化（超過 450 個以上的資料庫）吸引檢索者的參與；同時允許檢索者依其方便預約檢索時間，以提高其配合意願。在檢索過程中，研究者會轉錄檢索過程中實驗對象檢出之所有書目。通常在第一次檢索之前，檢索者必須接受 Dialog 系統之檢索訓練，其訓練的方式是半小時固定內容之口頭說明。而檢索者在進行檢索時，研究者絕不干涉其檢索過程，待其檢索完成後，根據檢索所得書目，研究者以結構式訪問表一一詢問每一筆書目之相關判斷結果並記載之。當然，在詢問相關判斷結果之過程中，研究者會儘量提供實驗對象毫無干擾的環境。最後等實驗對象之報告或論文完成後，再行蒐集其文後所附之參考書目，藉此比較檢索所得書目和最後引用書目間之異同，並深入了解所有相關書目不被引用的原因及非檢索所得書目的來源。

在本書之實證研究中，每一位檢索者都必須填寫二份問卷。第一份問卷(檢索者背景問卷,見附錄A)通常在接受線上檢索訓練之前填寫,主要目的在提供和檢索者個人有關的資訊(如學科背景及年級等)及其電腦經驗和檢索經驗等。一般認為,檢索者過去的電腦經驗和檢索經驗均會影響其線上檢索的表現,因此特別蒐集這方面的資料加以分析。第二份問卷(檢索問題背景資料問卷,見附錄B)則是在每次檢索前都應填答,檢索者必須以自然語言描述其檢索問題,告知其目前的研究階段,並說明已掌握哪些資訊及預測找到相關資料的可能性等。在1985年Kuhlthau所做的研究中,證實了檢索問題的文字性敘述,可以有效地反映出檢索者在某一特定時間內思考的重點及其思路上的變化。(註3)

在詢問相關判斷的結果方面,係以研究者所設計之相關判斷表為根據(見附錄C),檢索者必須依序回答每一筆書目資料的判斷結果,其可以自由選擇所欲閱讀的資訊欄位,不一定要看過完整紀錄,只要足以判斷該筆資料之相關性,即可做出相關判斷的決定。一般而言,實驗對象除必須告知每一筆書目資料之相關程度外,並須分別指出其閱讀的欄位及據以判斷相關的欄位。在本研究中,相關判斷的結果包含四種判斷等級,即非常相關、相關、部分相關、及不相關等評級尺度。而提供讀者相關判斷的欄位則包括題名、作者、來源、摘要、敘述語、及關鍵字等。為了避免實驗對象在判斷時產生壓力,對判斷時間不加以限制,但研究者仍須記錄檢索者每一次相關判斷所花費的時間。在判斷進行的過程中，檢索者可以參考其他資料（包括查閱字典），而這些動作都在計時的範圍內。

待研究對象之報告或論文完成後，本書之實證研究將比較檢索所得書目和最後引用書目間的差異。事實上，研究設計的本意在提供實驗對象無限次數之 Dialog 檢索，以便蒐集資訊需求和相關判斷在整個研究過程中之變化情形，但由於實驗對象大多不願意投資時間於多次檢索，所以對大部分的實驗對象而言，僅是比較其單次檢索所得書目和最後引用書目間之異同。大致而言，本研究共有 33 位檢索者，總計完成 41 次檢索及 40 份報告（或論文），其中 28 份報告僅歷經一次檢索，而 12 份報告則歷經二次檢索。在本研究中，統計數字若有不一致的情況發生，均是由數次檢索產生一份報告或是一次檢索產生數份報告所造成，並非計算或其他錯誤所導致。而在核對書目時，研究者除逐一比對每份書目之作者與題名外，並利用檢索軟體檢查是否有相同作者及相同題名的文章，以求確實找出所有同時出現在檢索書目及引用書目中之文章。由於相關書目佔所有檢出書目之 60%，而其被引用的比例卻只有 10%，因此研究者再次設計訪問表格，先請實驗對象概述低引用率的成因，然後逐一詢問相關書目不被引用的原因及非線上檢索之參考書目來源。

換言之，本書之實證研究合併採用多種不同的研究方法：以問卷法了解資訊需求者之背景資料和資訊需求，並以結構式訪問法暸解讀者相關判斷之結果。當研究對象之報告或論文完成後，除比較檢索所得書目和引用書目間之差異外，並再次以問卷法暸解相關書目不被引用的原因及非線上檢索之參考書目來源，企圖闡釋主題相關的局限性及相關本身的動態特質，以期對相關概念之研究有所貢獻。

第二節 抽樣方法與研究方法

研究資訊需求者之相關判斷過程與結果，由於不可能以普查法對每一位需求者逐一進行調查或訪問，所以抽樣法絕對是勢在必行。一般而言，本研究採用可獲性取樣（available sampling），又稱爲便利性取樣（convenience sampling），它不是一種隨機抽樣，而是一種方便而簡單之取樣方法，通常在需要實驗對象高度配合的研究中，不得不權宜採取可獲性取樣以取得樣本。

本研究利用線上電子佈告欄（Bulletin Board System，BBS）及人工張貼佈告的途徑（佈告內容見附錄 D），於國立台灣大學校內公開徵求資訊需求者，而後由資訊需求者自行上線 Dialog 系統尋找相關書目。在一學年內，一共招募了 33 位願意參加本研究之資訊需求者，他們大多是研究生，和國外終端使用者大多數爲研究生的研究結果不謀而合。一般而言，資訊需求者在第一次檢索前，除非他們在其他地方曾經接受過 Dialog 使用訓練外，都須接受研究者半小時的使用指導。為了讓所有的說明一致，研究者必須根據其所撰寫之Dialog 檢索使用說明（見附錄 E），逐步介紹 Dialog 系統之檢索方式，以控制因訓練方式不同所產生的變因。而後，這些實驗對象可以在整個學年內無限次數地使用 Dialog 資料庫，檢索與他們的論文或是學期報告相關的資料。同時，研究者將會適時地提供實驗對象一些資訊，例如建議檢索者使用哪些資料庫及解釋指令用法等，但研究者只能在檢索進行前後提供這些建議，絕不會在檢索進行中提及這些資訊。根據實際觀察及閱讀其檢索策略及結果發現，一般而言，檢索者多能自行設計檢索策略。

基本上，檢索指導的內容包括：布林邏輯與相近運算元的概念、主題、作者與題名檢索的操作、六個基本指令的使用(包含 begin 、 select steps 、 display sets 、 display、 type 及 logoff)、檢索策略的設計方式(以分區組合檢索(building block)為主)、切截的介紹、以及用一個檢索實例說明 Dialog 系統之檢索方式。在半小時的訓練中，要包含上述所有內容實在不太容易，但因冗長的說明會降低檢索者參與研究計畫的意願，所以無法增加檢索說明的長度。也就是說，由於受到時間因素的限制，本研究中之檢索指導，均只提供一些基本的程序訓練（ procedural training ），而不是概念的訓練（ conceptual training ）。

在蒐集相關判斷之結果時，研究者並未提供任何相關概念的定義，而是由資訊需求者根據其本身對相關的原始概念做出相關判斷的決定。一般而言，相關在資訊科學中雖然是缺乏定義且爭議性極大的概念，但實驗對象對相關概念多有其自身的看法，並沒有任何人因此無法做出相關判斷。至於相關書目不被引用的原因及非線上檢索書目的來源，本研究以開放式訪問法求得答案，完全不預設任何立場，由資訊需求者根據每一筆書目逐一作答，最後再加以歸納分析。

本研究一共有 33 名檢索者，其中男性 21 名(佔 64 %)，女性 12 名（佔 36 %），這可能是台大男性教職員生多於女性教職員生的一種自然反應。表 2-1 顯示資訊需求者的教育程度，其中有 29 位是研究生（ 87.9 %），包括碩士班學生 20 人（ 60.6 %）和博士班學生 9 人（ 27.3 %），其他族群則包括大學部學生 2 人（ 6.1 %），教師 1 人（ 3.0 %）及研究助理 1 人（ 3.0 %）。許多研究顯示，線上終端使用者的最大族群是研究生，本研究中研究生所佔的比例高達 88 %，和國外的研究結果不謀而合。表 2-2 顯示實驗對象的學科背景，檢索者分別來自四個學院，其中以工學院之檢索者最多（ 15 人，45.5 %），文學院 8 人（ 24.2 %），農學院和理學院則各有 5 人（ 15.2 %）。若以系所爲單位進行更深入的分析，由表 2-3 可以得知，檢索者以來自圖書館學系的 8 人（ 24.2 %）和材工所的 7 人（ 21.2 %）較爲集中，其餘系所都十分分散，檢索人數皆僅有一至二人，其中心理系、資工系、化工系、森林系、及植病系等五系所之檢索者均爲二人，而土木系、電機系、機械系、農化系、化學系、環工

表 2-1：檢索者教育程度統計表

級別	人數	百分比（%）	累計百分比（%）
大學部	2	6.1	6.1
碩士班	20	60.6	66.7
博士班	9	27.3	93.9
教師	1	3.0	97.0
研究助理	1	3.0	100.0
總　計	33	100.0	

表 2-2：檢索者所屬學院統計表

學院	人數	百分比（%）	累計百分比（%）
文學院	8	24.2	24.2
工學院	15	45.5	69.7
農學院	5	15.2	84.8
理學院	5	15.2	100.0
總　計	33	100.0	

所、動物系、及原分所等八系所均僅有一人參與檢索。造成圖書館學系及材工所檢索人數較多的原因，可能和這二個系所之授課教師鼓勵學生充分利用 Dialog 檢索系統有關，因此，研究中若能掌握數位願意配合的老師，研究對象的參與程度可能會大為提高。

表 2-3：檢索者所屬系所統計表

系所別	人數	百分比（%）	累計百分比（%）
圖書館學系	8	24.2	24.2
材工所	7	21.2	45.4
心理系	2	6.1	51.5
資工系	2	6.1	57.6
化工系	2	6.1	63.7
森林系	2	6.1	69.8
植病系	2	6.1	75.9
土木系	1	3.0	78.9
電機系	1	3.0	81.9
機械系	1	3.0	84.9
農化系	1	3.0	87.9
化學系	1	3.0	90.9
環工所	1	3.0	93.9
動物系	1	3.0	96.9
原分所	1	3.0	100.0
總　計	33	100.0	

由於掌握檢索者對電腦工具及各種檢索系統的經驗，有助於了解檢索者對 Dialog 系統的應用程度，因此本研究以問卷法蒐集此方面之背景資料。一般而言，33 名檢索者中，半數以上均表示熟悉文書處理軟體（19 名，57.6％），

但對於試算表、應用軟體、及程式設計則較不熟悉。同時，本研究中絕大多數之檢索者，都曾使用過光碟檢索系統和線上公用目錄系統（Online Public Access Catalog，OPAC），其中使用過光碟資料庫之檢索者（28位，84.8%）比用過線上公用目錄者（25位，75.8%）爲多，但在使用次數方面，檢索者使用線上公用目錄的平均次數（26.68次）則較其使用光碟資料庫的平均次數（9.03次）高出甚多。至於Dialog系統之檢索經驗，本研究中大部分之檢索者過去未曾使用Dialog系統，僅有9人過去使用過此系統（27.3%），而其中除一名化工系教授較常使用國際百科系統外，其餘曾使用Dialog系統之檢索者對該系統均不太熟悉，這很可能是資訊需求者不願意進行多次檢索之主要原因。綜合以上數據可發現，本研究之實驗對象，對電腦工具及檢索工具的熟悉程度還算差強人意，而其個別差異則可視爲影響相關判斷結果之變因，爲本研究所蒐集之重要背景資料之一。

第三節 資料蒐集、編碼與分析

本研究除以問卷法蒐集檢索者及檢索問題之背景資料外，尚以訪問法調查資訊需求者相關判斷的結果、相關書目不被引用的原因、及非線上檢索書目的來源。一般而言，不管在檢索進行過程中或訪問過程中，研究者都儘量維持實驗對象不被干擾的環境，希望在自然的情況下取得真實而正確的資訊。對每一位實驗對象，研究者都必須蒐集下列資訊：

1.問卷的填答內容：包含檢索者個人之背景資料、以自然語言陳述之檢索問題、檢索前已掌握之相關資料、及對檢出相關資料機率之預測等。

2.相關判斷的結果：包括讀者對檢索所得書目之相關判斷評級、相關判斷所依據之欄位、相關判斷過程中曾瀏覽過之欄位、及相關判斷所花費之時間等。

3.檢索所得書目出現在引用文獻中之比例。

4.相關書目不被引用的原因。

5.非線上檢索書目的來源。

6.低引用率的成因。

資料蒐集完畢後，必須經過編碼的程序，才可能進行統計分析。由於本研究蒐集的資料相當多，因此編碼表達五種之多。很自然地，檢索者個人之背景問卷及檢索問題之背景問卷可獨立成二個編碼表。在檢索者個人背景資料之編碼表上（附錄F），必須包含檢索者個人之基本資料及其對電腦工具及檢索工具的熟悉程度等欄位；而在檢索問題之編碼表上（見附錄G），則必須包含檢索目的、研究階段、掌握資料筆數、對檢索主題之熟悉程度、及預期找到相關資料的機率等欄位。同時，必須將檢索所得書目及報告之參考書目分別編碼，才有可能對相關判斷之結果及引用書目之特性進行各項分析。在檢索所得書目之編碼表上（見附錄H），必須包含相關判斷的評級、相關判斷所依據之欄位、相關判斷過程中曾瀏覽過之欄位及相關判斷所花費之時間等項目；而在參考書目之編碼表上（見附錄I），則必須包含各篇參考書目之語文、其是否爲檢索所得之文章、及非檢索所得書目之來源等欄位。此外，爲便於對相關判斷的結果進行整體性的分析，尚需一份以報告爲單位之編碼表（見附錄J），其中必須包括檢索所得書目之引用篇數、參考書目總數、被引用書目分布在不同相關判斷評級的篇數、及其他重要背景資料所構成的欄位等，才有可能了解相關判斷的結果與被引用書目間之關係，並分析各種背景資料和相關判斷結果的可能關係。大體而言，只有在完成上述五種編碼表後，方可開始進行本研究所需之各種統計分析。

本書的實證研究結果將在第六章和第七章中分別描述。第六章的分析重點在描述相關判斷的結果：首先概述41次檢索之基本特性，其中包含精確率之統計分析；其次分析相關判斷的結果，並以相關判斷的評級、閱讀欄位、依據欄位及花費時間總結相關判斷之特性；最後再探討可能影響到相關判斷的因素，以求對相關判斷有一全面性的了解。

第七章的重點則在分析實驗對象之文末參考書目，並將其引用文獻行爲與Harter之心理相關相互印證。首先分析40份報告中所附參考書目之語文及其他特性，其次探討檢索所得書目之被引用率。由於檢索所得書目其被引用的比率只有6.2 %，因此本書將更進一步調查相關書目不被引用的原因及非線上檢索之參考書目來源，希望對主題相關的局限性、相關概念的動態本質、心理相關的本質與應用層面、及使用和相關的關係等，均能有更深入的瞭解。

附 註

註 1 Michael Quinn Patton, Qualitative Evaluation and Research Methods, 2d ed. (Newbury Park, Calif. : Sage Publications, c1990), pp.9-34.

Catherine Marshall and Gretchen B. Rossman, Designing Qualitative Research (Newbury Park, Calif. : Sage Publications, c1989), pp.150-163.

Paul Diesing, Patterns of Discovery in the Social Science (Chicago : AldineAtherton, 1971), pp.1-25.

Raya Fidel, "The Case Study Method: A Case Study," Library and Information Science Research 6 (1984), pp.273-288.

註 2 Raya Fidel, "Qualitative Methods in Information Retrieval Research," Library and Information Science Research 15:3 (Summer 1993), pp.219-247.

C. C. Mellon, Naturalistic Inquiry for Library Science (New York: Creen Word, 1990).

註 3 Carol Collier Kuhlthau, "A Process Approach to Library Skills Instruction," School Library Media Quarterly 13 (Winter 1985), pp.35-40.

第三章 資訊檢索之基本概念

在探討「相關」概念之前，對資訊檢索領域之學科屬性及許多重要概念皆應有所認識。首先探討資訊檢索的學科屬性問題。McGrath 曾在 1978 年發表一篇論及軟硬學科（soft/hard disciplines）的文章，文中指出在一些尚未形成典範（paradigm）的學科中，很多名詞無法取得學者們一致公認的定義，而且這些名詞很可能永遠無法獲得其一致公認的定義。（註 1）在 McGrath 所列之學科軟硬排名表中（見表 3-1），數學是最硬的學科，其次是化學，而圖書資訊學的硬度居中間偏上，比經濟學、管理學、教育學都高；而表中硬度最低的三個學科則分別爲心理學、社會學和藝術。事實上，部分人士可能會對表 3-1 中學科軟硬度的排名提出質疑，認爲其在排列順序上有失客觀，圖書資訊學的硬度竟然在眾多社會科學之上。然而，這畢竟已是十多年前的排名，且學科軟硬度的排名並非本章的重點，筆者只是想藉此說明圖書資訊學仍是一典範尚未建立的學科，因此很多溝通討論的名詞都缺乏其操作型定義，也無法形成較爲一致的一般性定義。

事實上，在一些尚未建立典範的實用學科中，其從業人

表 3-1：學科軟硬排列表

數學（最硬）
化學
物理
電腦科學
地理學
法文
天文學
圖書館學
公共行政
經濟學
管理學
歷史
音樂
演講
建築
舞蹈
教育
心理學
社會學
藝術（最軟）

員往往不知其所以然地應用及討論很多實用的技能，Patrick Wilson 對這種現象非常不能苟同，他認爲這種似是而非的作法如果真的存在，也只能存在於一些較沒有價值

（cheap）的學科中。（註 2）很不幸地，資訊科學或資訊檢索就是上述狀況之典型實例，此領域中很多名詞都無法獲得一致公認的定義，連最基本的概念——「資訊」都缺乏公眾認同的定義，更遑論其他名詞了。Wilson 在其有關資訊檢索基本概念之名著中，論及資訊檢索中最爲核心、最需公認一致定義的五個名詞，分別是「資訊」（information）、「關於」（about）、「相關」（relevance）、「需求」（need）和「用途」（use）。（註 3）這五大概念的定義問題至今尚未解決，使學者在討論上及從業人員在應用上產生諸多不便與混亂，一代宗師 Wilson 雖嘗試釐清上述五大概念，但大部分原已存在的問題仍然無法解決。本章擬根據 Wilson 所提出之資訊檢索五大基本概念逐一進行討論，但由於相關將被單獨成章深入探討，因此本章僅研究「資訊」、「關於」、「需求」及「用途」四大概念。

第一節 資訊

「資訊」在傳播學、資訊科學和圖書館學上都是尚待定義的核心概念，而這些學科也一直在期待此一基本且理論性概念的誕生。嚴格說起來，資訊只存在於人類的心靈之中，所有書籍文獻中的文字都只是記載心路歷程的符號，這些文字符號常被用來表達資訊，但絕非資訊本身，它們充其量只能被視爲心靈資訊之外在儲存體。至於資訊本身，雖然它無法被完整地描述、解釋和了解，但藉由觀察其特質和效果，卻可以增加人際溝通或人物溝通之效益。（註 4）事實上，人腦每天都自覺或不自覺地完成無數次資訊處理，這些資訊處理早已完全融入人類生活之中。比如說每天早上 6 點半聽到鬧鐘準時起床、出門是否需要帶把雨傘、在繁忙的交通中應該選擇那條路可以最早到達目的地、先吃午飯還是先去郵局寄信等，各種資訊與決策，在日常生活中可謂無所不在。

在人類溝通和傳播的歷史上，語言的發明是第一個里程碑，從此人類可以口耳相傳傳播資訊；文字的發明則是第二個里程碑，至此人們在傳播資訊時可以超越時間和空間上的限制。但由於資訊只存在於人類心靈之中，因此其特質應該是絕對主觀的，一旦將其轉化爲語言或文字，如果沒有客觀的認知存在，就不可能完成溝通的使命，所以知識或資訊是主觀或客觀的爭議也一直存在。試想，如果資訊不具備客觀的特性，那人與人之間就不可能憑藉信件溝通，更不可能藉著閱讀書本文字產生共鳴。然而，資訊也絕對有其主觀性存在，否則同樣的文字就不可能在不同人身上產生截然不同的詮釋和感受。資訊這種主觀與客觀兼具的特性，尤其是其主觀性，不但使其更難獲得一致公認的定義，也會帶給研究者和從業人員無所適從的感覺。

一般而言，物理科學被歸屬於硬科學是不容置疑的，因此以其二個非常普遍的名詞－－「重力」和「電」來比較其和「資訊」之間的不同。「重力」、「電」和「資訊」一樣，都無法以四肢觸摸或心靈感覺體驗其存在（接受電擊時或可感受電的特質，但一般並不存在此狀況），但「重力」和「電」都有具體的計算公式和放諸四海皆準的操作型定義，而「資訊」卻沒有估算公式，更沒有操作型定義。事實上，人文社會科學仍在繼續致力於其典範的建立與操作型定義的產生（尤其是社會科學），但也有部分學者開始質疑這項努力的必要性，Donald B. Cleveland 和 Ana D. Cleveland 即爲其中二位。他們認爲即使是在硬學科中，公認一致的操作型定義對了解大自然或心靈現象並非絕對必要，對軟學科則更非必要，因此資訊缺乏公認的定義不會造成太大的問題。（註 5）

如果從 Wilson 的角度來探討資訊概念，首先必須視察承載資訊的載體——文件（ document ）。一般常說，文件包含（ contain ）資訊，而這句話可以從二個不同的角度來解釋：其一至少表示文件包含某一主題之資訊，其二更進一步地表示文章包含某一主題之正確資訊。（註 6）也就是說，資訊載體內可能記載各種不同主題之資訊，但無法保證載體上所記載資訊之正確性。事實上，如果用非常嚴格的態度討論「文件包含資訊」這句話，可以發現這句話有很重的語病，因爲書籍或文件實際上只包含文字（ texts ）——成串的文字或符號，並沒有所謂的資訊存在。倘若更進一步探討文字和資訊間的關係，也很難發現此二者間存在任何絕對關係。換言之，完全相同的文字並不保證其包含完全相同的資訊，例如文中出現「太漂亮了」一詞，可以真的表示此人或此物的漂亮程度，也可能是「太好了」、「太棒了」、或是「就這麼辦」之意；反之，完全不同的文字也可能包含完全相同的資訊，否則就不可能進行任何翻譯工作。正因如此，如果想找出文件中承載的資訊，純粹利用文字的外觀來判斷並不可行，必須設法了解字裡行間及其背後隱含的意義，只有文意才能決定資訊內容，文字本身並無法達到此功能。因此，嘗試將「文件包含資訊」一語改爲「文件擁有（ have ）資訊」，或是改爲「文字包含意義」，都無法真正釐清資訊的定義。（註 7）

由於資訊僅存於人類心靈之中，因此個人心中所有信念（ beliefs ）的集合可以視爲其個人資訊之代名詞，而這些個人資訊或信念，往往是正確與不正確雜陳，因此可以根據其正確與否，將個人心中之資訊或信念做更進一步之區分。一般而言，在資訊傳播的過程中，資訊接受者必須先了解資訊輸出者所欲輸出之資訊內容並相信之，才有可能真正將其轉化爲資訊接受者心中之資訊。因此，根據資訊之正確性及其被接受與否，資訊輸出者和資訊接受者因資訊傳播而建立的關係可分爲四種：當無法確定資訊輸出者的資訊是否正確時，資訊接受者可能僅止於了解資訊內容，並未更進一步接受資訊成爲心中的信念（第一種關係）；當然，資訊接受者也可能自認爲了解該資訊，而接受此不一定正確之資訊爲心中信念（第二種關係）；而當資訊輸出者的資訊內容確定無誤時，資訊接受者同樣也會產生二個階段的反應，其有可能停留於了解的階段（第三種關係），也可能更進一步接受此正確資訊爲心中的信念（第四種關係）。（註 8）然而不管資訊本身的正確與否，資訊輸出者所描述的資訊都有被資訊接受者誤解的可能，如果考慮到這一層關係，那麼資訊輸出者和資訊接受者因爲資訊傳播而產生的關係將更形複雜。

將資訊區分爲「不知其真僞」和「確定其爲真」二種不同類型的資訊，在資訊檢索上具有相當重要的意義。因爲當所檢索到的資訊真假難分時，不應該稱之爲「資訊檢索」（ information retrieval ），而應該正其名爲「內容檢索」（ content retrieval ）。（註 9）也就是說，目前資訊系統（不論其爲文件檢索系統或是事實檢索系統）所提供之資訊檢索事實上皆屬內容檢索，因此檢索所獲通常是和某一主題有關之所有資訊，包含正確的資訊及誤訊（ misinformation ）。但若站在讀者的立場來看，假設讀者想知道唐朝建立之西元年代（正確的答案應爲西元 618 年），而檢索系統所得到的年代卻爲西元 589 年或是西元 630 年，讀者的確檢索到一些資訊（應該說是誤訊），但這些不正確的資訊可能比沒有檢索到任何資訊所帶來的傷害更大。因此，一個負責任的資訊系統應該提供的是資訊檢索而非內容檢索，亦即應提供資訊而非誤訊。事實上，這是一個相當嚴肅且影響深遠的問題，例如在評估參考服務時，參考館員正確回答問題的比率通常只有百分之 55（註 10），這固然和館員的素質及訓練有關，但文件中常包含誤訊也是造成此一現象的主因。

Wilson 將目前的資訊檢索定位爲內容檢索，同時指出資訊檢索應達到的目標爲：提供正確的資訊供大眾使用。儘管資訊經常真僞難辨，且過去爲正確之資訊在今日不一定爲正確，而過去不正確之資訊今日可能變成正確，然而資訊系統還是必須考慮資訊的正確性，惟有提供正確的資訊，才能讓讀者做出正確而無悔的決策。

第二節 關於

「關於」是一個鮮爲國人探討的資訊檢索之基本概念。「關於」在分類編目或索引摘要上都有其舉足輕重的地位，因爲不管是分編或索摘，其目的都在於設法描述文件內容，而描述文件內容可視爲說明此文件是關於某主題最常使用的手段之一。嚴格說起來，「關於」是探討文字和真實世界間的關係。（註 11）舉例來說，如果某文件是在描寫奧地利之維也納市，那這篇文章就是「關於」維也納。但文件涵蓋的主題通常不只一個，一篇文章有可能「關於」數個主題甚至數十個主題，例如孫中山先生的傳記，雖然提及許多其他人物和地名，但其主要主題應是「關於」孫中山。然而有些「關於」數個主題的文件，其主要主題卻不是這麼明顯，此現象在分類上通常會造成一些困擾，因爲一份文件只能給予一個分類號，但在標示主題標目或敘述語時，由於一份文件可以多個敘述語索引之，所以比較不會構成問題。

一般而言,「關於」可以視爲找出文件主題的處理動作,因此研究「關於」的學者,經常將研究重點擺在應該或如何找出該文件所「關於」之主題。不可否認地,圖書資訊學者也希望能找出許多名詞的操作型定義,就如同數學家和物理學家一般,學者們可以站在公認的定義上進行討論,同時,任何人只要根據操作型定義操作,都可以得到相同的結果。因此,「關於」的操作型定義之所以重要,除其有助於了解「關於」之本質外,更是確保索引一致性的最有效方法,因爲索引者與檢索者若能根據操作型定義選擇詞彙,應該會得到完全一致的結果,如此一來則存在已久的索引一致性問題即可迎刃而解。Maron 就曾致力於「關於」操作型定義之研究,他認爲文件「關於」某一主題(假設此主題以詞彙 i 表示),係指當檢索者在尋找該文件時,會以詞彙 i 作爲檢索詞彙來找尋資料。(註 12)

事實上, Maron 的定義和真正的操作型定義間還有一段相當遙遠的距離,與其稱之爲「操作型定義」,不如將其正名爲「規則」。具體而言, Maron 的規則僅指出「關於」之處理過程,但其他人在進行相同的處理時,卻未必見得會選擇相同的詞彙,因此無法成爲放諸四海皆準的操作型定義。一般而言,在使用 Maron 之規則決定文章「關於」之主題時,並非經由思索此篇文章涵蓋之主題,而是思索當讀者在找尋此類資訊時,他們會使用那些詞彙進行檢索?如果確定大多數讀者都會以詞彙 i 來查詢此一文件,那這篇文章就應該以詞彙 i 作為其索引詞彙。（註 13）換言之， Maron的規則是從使用者導向之觀點來看「關於」的定義，頗合乎目前使用者掛帥的系統設計理念。

Wilson 批評 Maron 的規則無法區別主題索引和非主題索引，所以不能將其專用於主題索引上。（註 14）但從資訊組織的觀點看來，這應該是優點而非缺點，因為文件不僅可依其主題進行分編和索摘，也可以根據其他非主題層面進行分編和索摘，例如以文件之研究方法組織資訊即為可行的方法之一。以上述孫中山先生的傳記為例，如果以主題進行索引，那索引詞彙自然非「孫中山」莫屬，但坊間存在的孫中山先生傳記相當多，每本傳記可能各有其特色，對讀者而言，以這些特色進行索引，再配合原先即已存在的主題索引，所提供的檢索效益應該大為增加。因此同為孫中山先生之傳記，倘若該本傳記的特色是以非常新穎之傳記調查方法撰寫完成，那麼此種傳記調查方法應該是非主題索引上非常好的選擇之一。

「關於」和整理組織資訊的方法間有不可分離之關係。事實上，目前一直有一股浪潮在質疑圖書館員整理組織資訊之方式。以線上檢索為例，檢索所得的書目，讀者之使用率只有 25%左右；（註 15）而不做任何分編或索摘所得到的檢索結果，居然和經過分編索摘所得到的結果不相上下。（註 16）上述警訊在在提醒圖書館界重新思索其整理組織資訊的方法。一般而言，如果傳統的分編和索摘系統成功地達成整理組織資訊的使命，那檢索所得書目的利用率應該會大爲提高，也不可能發生自動索引和人工索引檢索效率相似的情況。雖說此種呼籲在圖書館界的迴響十分微弱，大部分從業人員都安於過去組織整理資訊的方式而不願尋求改變，然而值此圖書資訊科學正面臨轉型的關鍵時刻，學界與業界絕對得認真思索此一問題，否則很可能面臨專業領域遭到蠶食鯨吞的厄運。正因如此， Wilson 提出其心目中理想之整理組織資訊的方式，雖然此種方法仍具有相當大的爭議，但不失爲拋磚引玉的作法。

Wilson 整理組織資訊的方法架構在資訊本身的結構上，他認爲任何文件內容均有其規律的結構，而資訊規律的結構往往是該文件言談結構的外顯。（註 17）舉例而言，任何人在撰寫文章時，一定有其中心思想，文章的內容應依照一定的順序環繞該中心思想展開論述。事實上，一篇文章就像一棵大樹一樣，大樹的樹幹就好比文章的中心思想，枝幹和樹葉就像文章內容一樣環繞著樹幹生長，通常愈靠近樹幹的部分愈接近中心思想，因此整篇文章就如同大樹一樣有其一定的架構。正因爲文章（或文件）結構有其邏輯上的順序，因此 Wilson 認爲可以根據文章內容之言談結構來組織整理資訊，這些可用來組織資訊的層面包括該文件之歷史背景、問題陳述、解決問題的方法及其遭遇之難題等。（註 18）當然，不同作者可能會對文件結構有其不同的詮釋，比如說可以在上述四層面中加上研究方法及研究結果等。筆者以爲，利用文件本身的結構來整理組織資訊是一個可行的方向，但至於何種結構最爲自然且最有效率，還有待無數實證研究繼續努力。

不管是 Maron 或 Wilson 所提出之「關於」，其用來描述文件之詞彙通常是主題標目或敘述語。但在電腦化資訊檢索已極其普遍的今日，題名及摘要上很多自然語言都可以用來描述文件所「關於」之主題。除此之外，文章中之目次表、前言和結論都蘊含相當豐富之主題資訊，在思考一個新的組織整理資訊的方式時，這些項目都應該列入考慮。

第三節 需求

本節所謂之需求係指資訊需求。一般而言，張三擁有資訊需求意謂張三需要一些資訊來滿足其需求。事實上，在資訊科學或資訊檢索中，需求是一亟須定義的名詞，它和許多類似的名詞經常被混爲一談，而這些名詞雖然有其實質上的差異，卻經常被替代使用，如「需求」（need）、「想要」（want）、和「缺乏」（lack）等。Derr 在其討論資訊需求的名著中指出：必須擁有資訊目的（information purpose），才可能產生資訊需求。（註 19）他並嘗試釐清許多類似概念和需求之間的不同。下文試以一簡單例子說明「需求」和「想要」之間的異同。假設張三年過四十，他對體檢的資訊應有「需求」，不管他是否「想要」做健康檢查；

同樣地，李四「想要」知道隔壁張太太的花邊新聞，但他實在不「需要」此類資訊。換句話說，人們可能想要他所不需要的資訊，也可能需要他所不想要的資訊。至於「缺乏」，則和「想要」一樣，與需求之間並不存在絕對的關係。例如張三可能知道很多有關李四的糗事（表示他不缺乏此種資訊），但他還是想知道更多；當然，張三也有可能完全不知道李四的糗事（表示他缺乏此種資訊），但他卻一點也不想知道任何有關李四的事情。綜上所述，缺乏並不一定會導致需求，而在不缺乏的狀況下，需求同樣可能產生。

Wilson 對資訊需求也有其獨到的見解，他認爲一定要有目的（ goal ），才可能產生需求，這和 Derr 所提出之「須具有資訊目的才可能產生資訊需求」的說法，實有異曲同工之妙。（註 20）舉例來說，張三需要錢買一台冷氣機，意謂張三如果沒有足夠的錢，他就無法達成購買冷氣機的目的，因此滿足張三需求的最簡單方式就是張三用錢去買一台冷氣機。 Wilson 特將此種方式稱爲積極滿足需求的方式。但如果張三沒有足夠的錢，是否象徵著他沒有辦法滿足其需求呢？由於需求和目的息息相關，因此張三可以改用其他方法或降低其目的層次來滿足其需求，例如去租一台冷氣機使用（用其他方式達成同樣的目的），或是改買一台電風扇（更改或降低目的層次，使其易於達成）。在 Wilson 看來，這些則是屬於消極達成目的的方法。換句話說，可以藉由某種途徑直接且完全滿足的需求屬於積極的需求，而必須改用其他方法或是設法降低目的層次才能達成的需求則稱爲消極的需求。（註 21）在上述定義下，圖書資訊學中消極的資訊需求，其數量遠較積極的資訊需求爲大。

進一步闡述消極之資訊需求在資訊檢索上所衍生的意義。由於同一資訊目的通常可透過各種不同方法分別達成，比如李四想使用計算機求數學四則問題之解，除非此四則問題過於複雜，否則當計算機不在手邊的時候，他通常會以手算解決問題，儘管計算機具有增加效率和確保品質等優點。資訊需求亦然，由於資訊需求大多屬於消極性質，再加上資訊和資訊之間又具有替代性，因此只有在少數情境下，才會發生非某資訊無法滿足其需求的狀況，因之造成資訊科學的不確定性，間接影響到資訊從業人員的專業性。

事實上，人類的需求相當多，資訊需求只是其中的一種，通常經由提供資訊而達到滿足的需求皆可稱之爲資訊需求。不過，資訊需求的滿足感相當主觀，即使檢索者已經提供大量相關資訊，讀者還是有可能覺得不滿足；反之，檢索者僅提供一、二篇相關文章，對某些讀者而言卻已十分滿足。尤有甚者，提供誤訊照樣能滿足某些讀者的資訊需求，特別是在讀者將誤訊信以爲真時。 Cooper 一直主張以讀者對系統的滿意程度來評估系統（註 22），卻無法獲得多數學者的認同，其原因不外乎資訊需求的滿足感過於主觀及無法排除誤訊所帶來的傷害。假設讀者對一經常提供誤訊的系統高度滿意，此系統還是不夠資格被稱爲良好之資訊檢索系統。

在有關資訊需求的研究中，學者不斷地呼籲必須找出讀者原始、真正的資訊需求，因此找出讀者真正之資訊需求已成為參考晤談最主要的目的之一。不過，由於資訊需求不斷變化的動態特質，回到原始資訊需求的理論也逐漸受到挑戰。Kuhlthau（1985）的研究證實檢索問題的文字性敘述，可以有效地反應出檢索者在某一特定時間內思考的重點及思路的變化，充分顯示出資訊需求不斷變化的特色。（註23）以撰寫報告為例，作者最初報告的構想和最後報告的成果往往有些差距，有時甚至連題目都可能完全更換，因此對讀者而言，回到原始的資訊需求並沒有太大的意義，重要的反在於掌握目前的資訊需求。Harter在其心理相關一文中更明白指出，資訊需求可以修正為讀者目前對某一特定問題的認知狀態，這種狀態基本上是動態的，因此研究的重點不應擺在原始或最初的資訊需求，所須了解掌握的應該是目前的知識狀態。（註 24）換句話說，在整個研究過程中，資訊需求是動態的、複雜的且不斷成長的，因此，從任何時間點切入，都會產生一資訊需求，代表讀者在此一剎那對某問題之認知狀態。雖說可藉由了解讀者目前的知識狀態解決資訊需求不斷變化所產生的問題，而圖書資訊從業人員也可以認定自己的目標為滿足讀者目前的資訊需求，但在資訊科學的研究上，絕不可就此劃地自限。在書目控制或資訊的組織整理上，如果對資訊需求沒有更深入的研究，就無法決定應該以何階段之知識狀態爲基礎進行分編或索摘，也不能確定當原始的資訊需求在資訊檢索上已不具意義時，是否要反過頭來追求最後的資訊需求（但所謂「最後的資訊需求」，究竟是取開始撰寫報告時之需求，亦或是完成報告時之需求，仍是一亟待斟酌之問題）。很多時候，設法釐清讀者問題和推向較後階段的資訊需求之間很難區分，但在沒有大量研究投入有關資訊需求的研究前，這些說法都只是一些缺乏證據的推測。

第四節 用途

文件中所蘊含的資訊通常具有多種用途， Wilson 將其分爲主要用途（ primary use ）和進一步用途（ further use ）二大類。一般而言，描述文件之主要資訊內容即爲說明該文件之主要用途的手段，（註 25）但主要用途絕非該文件唯一的用途，甚至可能也不是該文件最顯著的用途。而進一步用途通常可以包括該文件所能應用之計畫類型、該文件所能加速之決策、該文件所能支持之論點、及該文件所能證實之預測等。（註 26）事實上，當前整理組織資訊的方法只考慮到該文件的主要用途，如果能以文件的進一步用途進行資訊之組織整理，應該是可行性相當高之組織整理資訊的新方法。也就是說，理想的整理組織資訊的方式絕不能單從主題分析著手，考慮的層面絕對要超越主題層面，才有可能真正提高讀者對檢索的滿意程度。目前坊間絕大多數的資訊檢索系統都僅提供主題檢索，所作的資訊分析也僅止於主題分析，這可能是檢索所得書目引用率偏低的最主要原因之一。舉例而言，某讀者想蒐集資訊證明其論點無誤，或是尋求他人的數據來證明自己的研究假設，若由系統依主題（主要用途）來判斷相關，找到的相關文獻可能會相當多，但由於讀者是以能否支持其論點或假設（非主要用途）爲判斷相關的標準，因此真正判斷成相關的文獻在數量上可能會相當少，甚至其他主題的類似論點或數據都較主題相關之資訊來得實用。必須說明的是，此處將用途和相關混爲一談，乃因目前相關派已充分吸收許多效用派（用途派）學說之精華，且效用派精神多已全然融入相關派學說所致。

如果更詳細說明文件的用途，在最極端的情況下，書本可以當做鎮尺、禦寒或擋雨的工具，但這些都不屬於本節討論的範圍。一般而言，即使在探討文件的主要用途時，仍然必須對資訊和誤訊作出區分。也就是說，如果資訊檢索系統不管資訊之真僞，只是蒐集有關此問題或主題之訊息（包含資訊及誤訊），則充其量只能稱之爲內容檢索系統，而不能稱爲資訊檢索系統。在內容檢索系統中，讀者可以找到有關某主題之訊息，更具體的說，應該是某作者對某主題的看法或意見（不嘗試去分辨其真僞）。換言之，目前的資訊檢索系統不但只能根據主要用途（主題上的用途）提供資訊，且其所提供之資訊真僞不分，因此只能稱之爲內容檢索系統，無法提供正確且超越主題之相關（或有用）資訊。

在資訊檢索上，對於檢索應該提供相關的（ relevant ）資訊或是有用的（ useful ）資訊，在過去一直是個爭論的重點。認爲應該提供相關資訊的學者被稱爲相關派，而主張提供有用資訊的學者則被稱爲效用派（ utility ）。由於相關的資訊並不一定有用，而有用的資訊也不一定相關，因此這二個學派曾經各自獨霸一方。但由於相關派不斷地成長，所考慮之觀點逐漸增多，再加上其不斷吸收效用派的理論，相關派顯然已成爲系統評估的主流。事實上，如果完全就用途的觀點來看，理想的線上檢索系統應該檢索出讀者最後使用的書目，而該書目可能是根據主要用途而來，也可能根據進一步用途而來。上述文字雖然是利用效用派的觀點陳述用途的重要性，但由於「用途」早已融入「相關」之中（例如 Harter 之心理相關即完全包含這些多元化的進一步用途），因此也等於說明相關的重要性。

總而言之，理想的資訊檢索系統應該提供資訊而非訊息（此處之訊息指資訊和誤訊雜陳之意），就如同一般人選擇諮詢對象一樣，通常是根據其知識豐富與否，不太可能因爲此人舌燦蓮花而決定委任於他。（註 27）同時，理想的資訊系統不應只根據主題來分析資訊，必須根據進一步用途更深一層地組織整理資訊，例如分析文件對解決某類型問題的貢獻，或是文件所能證明之假設，或是文件所支持之論點等。也就是說，資訊檢索系統不能再停留於內容檢索的層

次，必須檢索出所有有用（包含主要用途和進一步用途）的資訊（不包含誤訊），才能真正滿足讀者的需求。（註 28）

附註

註 1　McGrath William, "Relationships between Hard/Soft, Pure/Applied, and Life/Nonlife Disciplines and Subject Book Use in a University Library," Information Processing and Management 14 (1978), p.22.

註 2　Ibid., p.10.

註 3　Ibid., pp.17-28.

註 4　Donald B. Cleveland and Ana D. Cleveland, Introduction to Indexing and Abstracting, 2d ed. (Englewood: Libraries Unlimited, 1990), p.9.

註 5　Ibid.

註 6　Patrick Wilson, "Some Fundamental Concepts of Information Retrieval," Drexel Library Quarterly (1979), p.10.

註 7　Ibid., p.11.

註 8　Ibid., pp.11-12.

註 9　Ibid., pp.12-13.

註10　F. W. Lancaster, If You Want to Evaluate Your Library... (Champaign, Ill.: Univ. of Illinois, Graduate School of Library and Information Science, 1988), p.109.

註11　Wilson, op. cit., p.14.

註12　M. E. Maron, "On Indexing, Retrieval, and the Meaning of About," Journal of the American Society for Information Science 28 (1977), p.38-43.

註13　Ibid., p.40.

註14　Wilson, op. cit., p.15.

註15　Sara J. Penhale and Nancy Taylor, "Integrating End-User Searching into a Bibliographic Instruction Program," RQ 26 (Winter 1986), pp.212-220.

註16　Cyril Cleverdon, "The Crandfield Tests on Index Language Devices," Aslib Proceedings 19:6 (1967), pp.173-194.

G. Salton, "Recent Studies in Automatic Text Analysis and Document Retrieval," Journal of the ACM 20:2 (1973), pp.258-278.

G. Salton, E. A. Fox, and H. Wu, "Extended Boolean Information Retrieval," Communication of the ACM 26:11 (1983), pp.1022-1036.

註17　Wilson, op. cit., pp.15-16.

註18　Ibid., p.16.

註19　Richard L. Derr, "A Conceptual Analysis of Information Need," Information Processing & Management 19:5 (1983), pp.273-278.

註20　Wilson, op. cit., p.19.

註21　Ibid., pp.19-20.

註22　William S. Cooper, "On Selecting a Measure of Retrieval Effectiveness, Part I. The 'Subjective' Philosophy of Evaluation, " Journal of the American Society for Information Science 24:2 (1973), pp.87-100.

William S. Cooper, "On Selecting a Measure of Retrieval Effectiveness, Part II. Implementation of the Philosophy," Journal of the American Society for Information Science 24:6 (1973), pp.413-424.

註23 Carol Collier Kuhlthau, "A Process Approach to Library Skills Instruction," School Library Media Quarterly 13 (Winter 1985), pp.35-40.

Carol Collier Kuhlthau, "Longitudinal Case Studies of the Information Search Process of Users in Libraries," Library and Information Science Review 10 (1988), pp.257-304.

註24 Stephen P. Harter, "Psychological Relevance and Information Science," Journal of the American Society for Information Science 43:9 (1992), pp.602-615.

註25 Wilson, op. cit., p.21.

註26 Ibid., p.22.

註27 Ibid., p.23.

註28 Ibid.

第四章 「相關」概念之探討

「相關」在國內一直是個乏人探討的重要研究領域，因此本書特別以一整章深入探討此概念，從相關的歷史和定義出發，然後論及相關判斷的影響因素及讀者相關判斷之依據，最後介紹有關相關判斷之實證性研究。希望藉此喚起國人對相關研究的重視，因爲惟有落實相關的本土化研究，才有可能設計出適合國人使用之理想資訊檢索系統。

第一節 相關研究的歷史

從 1950 年代資訊科學之興起開始，相關一直是該學科研究的重點之一，大型的實證型研究和理論型研究不斷地投入，以求了解相關的本質和建立相關的理論，這股研究風潮一直持續到 70 年代。但由於缺乏突破性的發展，相關研究在 80 年代進展相當遲緩，很多學者都停止對相關的探索工作，但到了 90 年代，理論型研究和實證型研究又開始大量出現，相關研究逐漸邁向其第二次高峰。事實上，許多與人工智慧有關的研究都歷經相同的過程，例如自動翻譯和自然語言處理等，早期學者們對其深具信心，但在歷經一些困難後，正當學者們認爲無法突破極限時，新科技的發展又帶來新的希望，配合類神經網路和最新的資訊科技，有關人工智慧方面的研究也隨之進入其第二次研究高峰。相關研究在歷經類似的過程後，發展至今，如何系統化地蒐集更多實證型資料並將之理論化，已成爲今日相關研究努力的目標。

本節的重點在介紹相關研究的歷史，將 1970 年代以前有關相關之重要的理論型與實證型研究作一簡介，希望能藉此發揮「鑑往知來」的效果。本節首先將介紹有關相關之先鋒研究，其次討論 1958 年科學資訊國際會議（International Conference on Scientific Information ，ICSI)之辯證與結論，然後探討相關之理論型研究，最後描述相關之實證型研究。本節所介紹的文獻大多是極具代表性之早期相關研究，學者們過去努力的成果，至今仍能發揮其深遠的影響。

一、先鋒研究

相關之先鋒研究者首推 Mooers 、 Perry、和 Taube 三位學者。（註 1）他們將相關定義爲檢索詞彙和文獻索引詞彙間之吻合關係，在此定義之下，系統操作相關的模式即根據檢索詞彙和文獻索引詞彙進行比對，因此相關和文獻關聯性（ relatedness ）之間的關係相當密切。（註 2）事實上，這些先鋒者是經由「不相關」（ nonrelevance ）的角度反向探討「相關」，他們將「不相關」定義爲檢索所得之不被需要的資訊。（註 3）而不相關的同義詞非常多，例如誤引（ false drops）和雜訊比（noise ratio）等，它們同被視為系統功能故障時之產物。具體而言，不相關通常導因於不充分或不適切的資訊描述，其中包括分類表、索引典及詞彙中語義和語法之描述等問題。上述先鋒研究的最大貢獻在於確定系統觀點（system view）之相關定義，並嘗試從不相關的角度來了解相關，以提高資訊檢索系統之檢索效益。

二、1958年之科學資訊國際會議

學者們很快發現僅由系統觀點探討相關所衍生之各種問題，因而一致認為相關必須突破系統觀點的格局，因為忽略人的因素絕對無法全然了解相關。1958年科學資訊國際會議對相關進行正式且深入的研討，希望能順利解決相關研究上之兩大爭議：一為討論相關的哲學理論及最佳定義，一為討論相關的測量方式。（註 4）事實上，上述二大問題在1996年的今日尚無法解決，更遑論38年前了。

在1958年之科學資訊國際會議中，Vickery發表了二篇最具代表性的文章，其將相關分為「主題相關」（relevance to a subject）和「使用者相關」（user relevance）二種型式。（註 5）Vickery將主題相關以「關心的話題」（topicality）一詞表示，其定義為檢索問題之主題詞彙和描述文章之主題詞彙間之吻合關係，亦即前文所提及之系統觀點的相關定義。至於使用者相關，Vickery將其定義為讀者願意追尋此資訊的程度，理所當然應由使用者依其情況自行決定，因之

被稱爲使用者觀點之相關定義。（註 6）

很明顯地，文章的相關與否和其內容描述絕對不是同一件事情，因此純以系統觀點來探討相關，一定無法滿足讀者之資訊需求。所以，Rees 和 Schultz 指出科學資訊國際會議之一致性結論爲:（註 7）

1.相關不應局限於系統內部之運作；

2.相關的內涵應該超越文件內容的本質和文章的關聯性；

3.相關並不是二元化（是非題）之單純決策；

4.相關必須擴及使用者相關的層次，也就是說，由系統觀點的相關定義進至目的地觀點（destination view）之相關定義。

三、相關之理論性探討

相關研究的爭議仍然繼續存在，部分學者開始以抽象的理論描述相關並嘗試將相關概念量化，Maron 和 Kuhns 即爲從事此項努力並有相當成果之學者。（註 8）他們企圖利用機率的概念表達文件滿足資訊需求的程度，在其模式中，檢出之文件可以根據其相關程度排列。Maron 和 Kuhns 認爲相關和「資訊量」（amount of information）非常類似，因此他們發展出「相關數目」（relevance number）作爲量化相關之測量值，此測量值之條件機率基本上是由讀者、需求、需求之主題、及文件提供的答案等四項因素共同決定，換句話說，相關數目即讀者以「需求之主題」提出「需求」後，「文件提供的答案」所能滿足「讀者」之機率。具體而言，Maron 和 Kuhns 的最大貢獻在將相關本身視爲一種測量值，並且以機率的概念來解釋複雜的相關概念。

第二個相關理論是由 Goffman 所提出，其主要目的在測量檢索問題和文章所承載資訊間之相對關係，他嘗試以型式數學（formalistic mathematics）的角度探討相關，其結果卻推翻相關爲一測量值之假說。一般而言，在數學上規定測量值的要件有四：（1）測量值必須爲正實數，（2）測量值必須符合完全相加（completely additive）的原則（所有數相加的值應等於其和的值），（3）測量值有其一定之大小順序，（4）測量值應有絕對零點。Goffman 認爲若將相關定義爲檢索詞彙和描述文章詞彙間之吻合關係，則相關不可能成爲測量值，因其違背測量值之第二、第三、及第四要件。很明顯地，將單篇文章之相關值加總所得的值，不一定會等於所有文章的相關值（違背要件 2）；相關值 6 和相關值 4 的差距，也不一定等於相關值 20 和相關值 18 的差距，雖然其間的距離皆爲 2（違背要件 3）；至於零相關（相關之絕對零點）更是因人而異，根本無法找出相關值之絕對零點（違背要件 4），所以相關在現行定義下，無法成爲測量值是一個必然的事實。然而，由於 Goffman 認爲相關應該是數學上的測量值，造成上述現象（相關不是一個測量值）的原因可能是出在相關的定義上，因此他認爲相關絕不止於傳統檢索詞彙和描述文章詞彙間之吻合關係，一定要加入其他考量才可能完全定義相關，而 Goffman 所提出的建議則爲：相關必須考慮文章和文章之間的關係。（註 9）

第三個理論由 Goffman 和 Newill 所提出，他們應用傳播學的理論來解釋相關，並將相關以問題與文章及文章與文章間之關係加以量化。具體而言，在整個傳播過程中，相關被定義爲：在資訊檢索過程中測量資訊傳播效益之測量值。事實上，Goffman 和 Newill 認爲任何傳播過程皆可視爲資訊自來源（ source ）傳至目的地（ destination ）的一連串事件，而他們所應用的學理，與其說是傳播學原理，不如正其名爲「流行病傳染原理」。基於此一概念，資訊的傳播可比喻爲流行病的傳播。而在流行病傳播理論中，來源和目的地之族群大致可分爲感染者、易感者和免疫者三大族群，而傳播的效果亦可分爲病況加重、病況減弱和病況穩定三種情況，其中最有效的疾病傳播方式應該是由傳染者傳至易感者。同理，若欲發揮資訊傳播的最大效果，由來源傳送至目的地的資訊必須是相關的，如此才能造成目的地之知識累積。爲了將此傳播模式量化，Goffman 和 Newill 藉由問題與文章及文章與文章間之關係決定相關之條件機率，此機率即相關值，可以用來代表傳播所能達到的效果。（註 10）

四、相關之實證型研究

在 1967 年， Cuadra 和 Katter 以及 Rees 和 Schultz 分別

完成早期有關相關之大型實證研究。（註 11）首先介紹 Cuadra 和 Katter 的研究成果。一般而言，Cuadra 和 Katter 的實證型研究和相關判斷有關，他們將相關大致歸納為二類：第一類相關是為表示讀者之興趣領域和詞彙與文章之間的關係，第二類相關則為表示系統輸出和讀者資訊需求間（不管其是以口語或文字表達）的關係，換句話說，第一類相關是主題相關，第二類相關則為非主題相關。在其研究中，總共找出了 38 種影響相關判斷的變數，這些變數可歸納為下列五類：（註 12）

1.文章類型，包含其主題及難易程度。

2.資訊需求之陳述。

3.判斷者之經驗、背景及態度。

4.判斷條件，例如時間壓力、輸出順序、及文章筆數等。

5.表達方式的選擇及相關判斷的尺度。

Cuadra 和 Katter 根據所找出的 38 個變數進行一連串相關判斷實驗，發展出一套相關評估模式（Model of Relevance Accessment），其中最具實用價值的評估模式計有下列六種：（註 13）

1.焦點變數：指讀者判斷相關之架構或標準。

2.界限變數：對實驗對象施以不同的教導會導致不同的相關判斷結果。

3.情境變數：包括不確定性、時間壓力、回饋及其他會影響相關判斷之社會動機。

4.刺激資料變數（stimulus material variables）：包括寫作風格及文章之專指程度等。

5.個人差異變數：判斷者其知識及技巧上的差異。

6.判斷尺度上的差異：通常尺度過於粗略，不足以顯示相關判斷之敏感性。

至於 Rees 和 Schultz 的研究，其目的則在於了解相關判斷的過程，希望藉此發展出可以預測不同判斷結果和讀者內在認知及刺激資料（即文件）間之複雜關係的模式。在此研究中，相關之原始定義爲讀者所判斷之一種存在於系統輸出和讀者問題之間的組合關係。（註 14）爲了更進一步區別相關和效用，Rees 和 Schultz 將相關定義爲檢索所得結果與讀者資訊需求之間的關係，而有用性（usefulness）則完全受讀者個人特質的影響。具體而言，此研究共有 40 個獨立變數，其中包含主要變數（如研究階段、判斷組、及文件組等）及次要變數（如教育、專業經驗、及研究經驗等），而其依變數則爲判斷者在特定時間對相關及有用性之估計值。

Rees 和 Schultz 及 Cuadra 和 Katter 發現個人差異對相關判斷的影響相當大，所以他們建議從認知型態和人格特質的導向來研究相關（註 15），這個 29 年以前的呼籲居然與今日不謀而合。此外，他們還發現愈是科學性的主題，所判斷出來的相關文章愈少，而當相關文章愈來愈多時，相關判斷的值會轉而下降，這些結果再次證明相關受個人差異及個人知識狀態之動態變化的影響甚鉅。

附帶一提，Saracevic 曾將 Cuadra 和 Katter 所提出之影響相關的變數重組爲五類，分別爲：文件及文件表徵、檢索問題、判斷情境、判斷尺度、以及判斷者，其中影響最大的變數是判斷者，而對判斷者影響最大的變數則爲其主題知識。一般而言，主題知識愈豐富的人，所判斷出之相關文獻愈少，而情境變數（包括問題參與程度、文件預期用途等）則始終發揮其一定的影響力。同時，根據文獻分析，Saracevic 提出相關概念之三大假設：（註 16）

1.只有資訊需求者有資格作相關判斷，因爲相關是極爲主觀的判斷。

2.對同一位判斷者，其相關判斷的結果會隨著時間變化，所以個人認知的動態變化在相關判斷中扮演相當重要的角色。

3.不同的判斷情境會導致不同的相關判斷結果，如資訊需求者所處的環境及資訊預期的使用目的等。

Schamber、Eisenberg 和 Nilan 認爲 Rees 和 Schultz 及 Cuadra 和 Katter 的研究是早期有關相關最深入的研究，雖說他們還是無法成功地達成定義相關的目標。（註17）事實上，在 60 年代或 70 年代，學者們普遍認爲涉及人類思考及認知變化的研究是無解的，因此他們並不冀求能找出一致的相關定義，更不可能接受相關值可以正確測量的說法。反觀今日，類神經網路配合模糊邏輯，很多思考、決策及學習理論都呼之欲出，在相關研究前途一片看好之時，學者在進行有關相關之實證型研究時，一定要在實際的環境下，以資訊需求者爲實驗對象，千萬不能貪一時之便，而以檢索中介者爲對象在半自然的環境下進行研究，後者在研究結果的解釋或應用上都將產生相當大的問題。

第二節 相關的定義與發展

一個名詞的定義通常反映出學者對此現象之具體研究成果，因此從相關一詞在定義上的變化，可以很明顯地看出相關概念之成長。一般而言，早期的相關多屬主題相關，爾後慢慢擴展至其他非主題相關，因此本節擬根據 1970 年以後一些最具代表性的相關定義來探討相關，希望藉此說明相關概念的發展。這些較具知名度的定義，分別是 Cooper 在 1971 年所提出之「邏輯相關」（ logical relevance ）（註 18），Wilson 在 1973 年所提出之「情境相關」（ situational relevance ）（註 19）及 Harter 在 1992 年所提出之心理相關（ psychological relevance ）。（註 20）從這些論述中，不僅可看出相關概念發展的歷史及方向，還可以了解大師們論述的方法及其精闢的見解。

一、主題相關

在系統觀點盛行的年代，所討論的相關多爲主題相關，因此相關通常被定義爲檢索詞彙和描述文章詞彙間的一種吻合關係。顧名思義，主題相關單純就主題的觀點探討相關，其背後的假設是主題相關的資訊應能滿足檢索者之資訊需求，因此它是一種客觀相關，也就是說，張三和李四輸入相同的檢索問題，他們就會得到完全相同的輸出資訊，這種純以主題決定相關的作法，仍是目前資訊檢索系統的主流。但由於相關判斷是相當複雜的決策過程，其判斷過程絕對不可能由主題單獨決定，因此主題相關也不斷遭受質疑，它之所以能在目前資訊系統上大行其道，只因爲它是目前人們惟一有能力處理的相關層次之實際應用。

一般而言，最常使用的主題相關定義是 Cuadra 和 Katter 在 1967 年所提出之定義，這是一個影響相當深遠並廣爲使用的定義，其逐字措辭如下：「相關是資訊條件敘述（即輸入系統之檢索問題）和文章內容間之一致性，亦即文章所涵蓋的內容對資訊條件敘述的適合程度。」（註 21）將之對應到目前的資訊檢索系統中，資訊條件敘述是以檢索詞彙表示，而文章內容則是以描述文章之索引詞彙表示，可見此定義和早期之相關定義毫無差異。附帶一提， Saracevic 曾對相關定義做過整理，這些定義大多爲1970年代以前的定義，其中所有定義都沒有超越主題相關的範圍，現將其列舉如下：（註 22）

－－文件和問題之間的一致性，可用以測量文件提供資訊的程度。

——文件根據問題提供解答，而此解答之優劣或其滿足資訊需求的程度。

——文件和問題間之關係程度，此關係包含相關程度、重複程度和適合程度等。

——答案對問題的適合性。

——文件對問題的適合程度。

——文件和資訊需求（問題）間連結程度之測量值。

——測量答案及其有用程度之測量值。

——令人滿意的答案。

二、邏輯相關

邏輯相關是由 William Cooper 所提出，他認為邏輯相關能正確推論是否型問題（ yes-or-no question ）之相關性，但對於其他類型的問題（包括事實檢索或書目檢索等），邏輯相關可能無法推論出完全正確的答案，不過它對相關概念在理論層次上的提升卻有相當顯著的功用。 Cooper 首先批評 Cuadra 和 Katter 對相關概念所下的定義，他認為「一致性」（ correspondence ）和「適合」（ appropriate ）都是非常模糊的名詞，對定義相關或釐清相關的爭議不可能有很大的貢獻。（註 23）事實上，上述 Saracevic 所整理出之相關概念也都停滯於模糊抽象的層次，距離相關之操作型定義尚有一段遙遠的距離。因此， Cooper 從文章中部分資訊即能滿足資訊需求的角度探討相關，逐漸發展出其邏輯相關的概念，企圖提高相關概念化的層次。

如果說一篇文章中的部分資訊能滿足讀者之資訊需求，則此文章應被視爲相關文章，因此，假設一篇文章中有一個句子能滿足讀者之資訊需求，則這篇文章應被歸類爲相關文章。在此假設下，Cooper 將相關的限制型定義以下列三個限制條件加以敘述：1.檢索問題必須爲是否型問題，2.儲存資料之敘述方式必須爲正式語言中之句子（sentence），3.資訊系統必須具有推理的功能。（註24）也就是說，當檢索問題的答案（在是否型問題中只有是與否）可由儲存之句子中推論得知時，這篇文章就是相關文章。（註 25）舉例來說，A 成分可以用來治療老人痴呆症，B 食物中含有 A 成分，所以 B 食物應可治療老人痴呆症。將這個問題以 Cooper 的三個限制條件表示，首先，檢索問題應被敘述爲「B 食物是否可治療老人痴呆症」（滿足條件一之是否型問題），由儲存的資料配合推理的功能，可以得知這個問題的答案應爲「是」（正確）。

以限制型相關爲基礎，Cooper 將其進一步擴展爲一般性相關定義，其逐字措辭爲：「一句子和資訊需求邏輯相關的必要條件是其所屬文件（以儲存的句子表達之）必須包含構成資訊需求之最小前提組（minimal premise set）。」（註26）所謂「最小前提組」，其在哲學上的定義爲「能推論出所需結果之最小前提集合，在此集合中，如果刪除任一前提，就無法以邏輯推理得到所需結論」。（註 27）因此，根據一般性邏輯相關之定義，只要文件中包含構成資訊需求之最小前提組，此篇文章即被判定爲相關文章。筆者以爲，邏輯相關是一種主題相關，但其判斷主題相關的方法，並不是將代表資訊需求的詞彙和代表文章內容的詞彙互相配對比較，而是先尋找該文件中是否包含能滿足資訊需求之最小前提組。所以，對任何一個檢索問題，只要能夠找出滿足其資訊需求或是提供解答之最小前提組，相關判斷的難題即可迎刃而解。但由於可以滿足同一資訊需求之最小前提組本身即已包羅萬象，再加上邏輯相關推理的本質，找出最小前提組所有不同的組合及表達方法，將成爲資訊檢索上相當高難度的一項挑戰。

Cooper 是效用派大師，居然反其道地爲相關派撰述文章。Cooper 自己提出的解釋有二:一爲相關在資訊檢索的重要性是不容置疑的，二爲邏輯相關是目前系統設計者惟一有能力處理之效用因素。（註 28）也就是說，在 Cooper 的眼中，邏輯相關所決定的不僅是文章的相關與否，同時也是決定效用最重要且最容易測量的因素。

三、情境相關

情境相關是由 Patrick Wilson 所提出，此相關是以 Cooper 之邏輯相關爲基礎，加上歸納邏輯（ inductive logic ）所推得之證據相關（ evidential relevance ），再考慮讀者個人之知識狀態及其關心（ concerns ）的重點衍生而成（註 29），也就是說，情境相關的本質是一種邏輯相關，但其不同於邏輯相關，因為邏輯相關屬於客觀相關，所以張三或李四只要檢索相同的主題，他們會得到相同的檢索結果；而情境相關由於考慮到個人的認知狀態、興趣和喜好（preference），因此張三和李四即使檢索相同的主題，他們很有可能得到完全不同的輸出結果。

Cooper 的邏輯相關是從演繹法的觀點來看相關，他認為當一篇文章包含構成答案或是可推論出答案之最小前提組時，這篇文章即被判定為邏輯相關。但 Wilson 認為單從演繹（推論）的觀點來探討相關是不夠的，必須兼由歸納的角度來看相關，也就是說，當文章中之資訊能強化某一前提、假設或概念時，這篇文章也應被視為證據相關之文章。（註30）事實上，證據相關在資訊檢索上相當重要，因為能強化讀者假設或推論的文章，對讀者而言，應該都是有價值的文章，所以用證據相關來補充邏輯相關的不足，對相關的定義是一種正面的突破。

一般而言，情境相關所謂的情境是資訊需求者所看到的情境，而非其他任何人由任意觀點所看到的情境，因此判定情境相關的先決條件，必須先了解並描述資訊需求者個人所處之情境（不管此情境是否為資訊需求者本人所關心）。基本上，資訊需求者所提出的問題應該是其關心的問題（但此關心的動力有可能是被動的），但決定相關與否的情境卻不一定是其所關心之情境。從定義上來說，直接情境相關

（directly relevant situationally）是指相關情境爲關心之情境時；而間接情境相關（indirectly relevant situationally）則是指相關情境爲非關心情境的狀態。（註 31）舉例而言，張三想知道他還有多少存款，則其存款數目爲直接情境相關之資訊；但張三借了 1,500 元給李四，此事實與張三有多少錢則爲間接情境相關。

由於情境相關考慮到個人知識狀態，而個人知識狀態不斷地變化，因此昨日相關的資訊今日不見得相關，而昨日不相關的資訊今日卻可能成爲相關資訊。此外，Wilson 尙提出顯著資訊（significant information）的概念，其定義爲能改變個人知識狀態或認知狀態的資訊。（註 32）他認爲檢索者在進行線上檢索時，通常並不預期找到所有的相關資訊，新資訊和能夠改變知識狀態的資訊應該更受歡迎。當然，顯著資訊可能爲直接情境相關，也可能是間接情境相關。

Wilson 的情境相關對相關的研究貢獻甚鉅，他不但提出證據相關以補邏輯相關之不足，還將相關的範圍延伸至考慮個人的知識狀態，這些想法和今日資訊系統設計的理念不謀而合。一般而言，以情境相關作爲系統判斷相關的標準，其所面臨的最大難題在描述個人的知識狀態及文字與文字間之推論與歸納關係，而這個困難似乎不可能在短時間內克服與解決。因此，在認定系統必須考慮檢索者個人之知識狀態，同時提供邏輯相關且證據相關之顯著資訊時，研究者對於認知心理學、學習理論、及人類思考等，不得不有較爲深入的研究與了解。

四、心理相關

心理相關爲 Harter 在 1992 年所提出，其概念源自日常生活中對話交談的靈感，其中心思想是由 Sperber 和 Wilson（1986）所提出。（註 33）事實上，不管是中文或英文，一般對話中提及相關時都不是指「關於某主題」（on the topic），反倒是一些互相關聯的主題、加強或減弱個人認知的信念、或是從另外的角度來看事情之觀點比較容易被習稱爲相關。也就是說，設計資訊檢索系統時所使用的「關於」（about），並不是一般人對相關的定義，而是遷就早期以詞彙代表資訊需求及文件主題之相關定義。Harter認爲將相關的概念局限在「關於」（主題相關）的層次，對相關概念的發展是致命的傷害，並因而打擊資訊科學理論的發展。（註 34）因此，如何從認知或心理的角度來了解相關，尤其是從認知狀態或知識狀態的改變來看相關，已經成爲相關概念發展的新方向。

在 Sperber 和 Wilson 的心目中，個人的認知環境或知識狀態係指其在某一特定時間內所能明白（manifest）的事實（facts）和假設（assumptions），在言談進行的過程中，個人的認知狀態（或知識狀態）會隨著談話內容不斷地改變。一般而言，在對話或交談時，談話者通常會選擇他認爲相關值最大之關聯文字（ context ）作爲話題，因此對各別交談者而言，所謂相關就是指產生最大文字關聯的情境或是需要最少資訊處理的情境。Harter 將 Sperber 和 Wilson 的理論應用在圖書資訊學對相關的定義上，他認爲相關的資訊就是能改變人類認知狀態（或知識狀態）的資訊，換句話說，就是能產生文字關聯效果（ contextual effect ）之資訊。據此，Harter 將主題相關定義爲潛在相關（ weak relevance ），因爲潛在相關之資訊是最有可能讓讀者產生文字關聯效果（或改變知識狀態）之資訊，也是目前資訊系統惟一能夠處理的相關定義。（註 35）

事實上，從心理學及認知的角度來看相關，就等於承認相關本身變化的特質，因此和 Wilson 之情境相關有異曲同工之效。不過，心理相關的涵蓋範圍更廣，在此概念之下，不論是資訊需求、資訊檢索、書目計量學、及相關本身，都被心理相關緊緊地扣成一環。在 Harter 的心目中，資訊需求是一種不斷變化的知識狀態，所以研究的重點應該擺在目前的資訊需求，而不是過去或原始之資訊需求。（註 36）同理，由於資訊需求隨時在變化，因此必須重視資訊檢索的過程。Harter 甚至以爲資訊即爲相關，因爲資訊檢索的目的在找尋相關資訊，所以資訊本身自然包含相關的意義。此外，Harter 尚提出書目計量學和資訊檢索的關聯性，如果將相關資訊視爲改變知識狀態或產生文字關聯效果之資訊，引用文獻正是相關資訊最好的來源之一，因爲一般作者所引用之書目，必為改變其知識狀態或是產生文字關聯之書目；同時，由於引用書目並不局限於同一主題，因此從引用文獻的角度探討相關，不但可以突破傳統主題相關的限制，也可以讓書目計量學和資訊檢索之概念合流。（註 37）

第三節 影響相關判斷之因素及相關判斷之依據

有關影響相關判斷因素之先河研究，首推第一節中提及之 Cuadra 和 Katter 及 Rees 和 Schultz 在 1967 年所進行之大型實證型研究（註 38），由於其內容在第一節中已作過說明，此處不再贅述。之後，Saracevic 將 Cuadra 和 Katter 所列舉的變數綜合整理成五大影響因素組，分別是：1.文件（包含文件與文件的陳述），2.檢索問題陳述，3.判斷情境，4.判斷的尺度及 5.判斷者等。（註 39）其後學者所提出之影響變因大致都在上述五大範疇之內，充其量只能在研究的重點或變數的增減上有所變化。Park 在其 1992 年所發表的博士論文中，根據上述五大範疇，將至 1990 年止所有關於相關判斷影響因素之研究成果進行整理，其結果如圖 4-1。一般而言，圖 4-1 仍以 Saracevic 所提出之五大影響因素組為架構，但其分別標示出屬於各因素組之研究變數細目。（註 40）

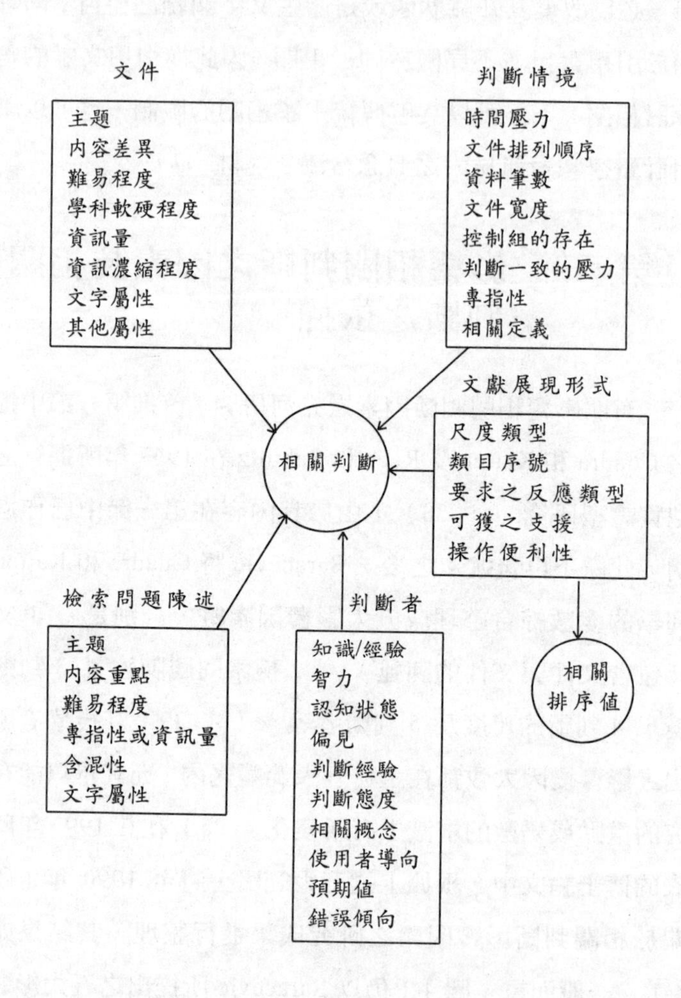

圖 4-1：影響相關判斷之因素組及其變數說明圖

資料來源：Taemin Kim Park, "The Nature of Relevance in Information Retrieval: An Empirical Study" (Ph. D. diss., Indiana University, 1992), p.41.

Park 雖然整理出圖 4-1 ，但在其博士論文及後來所發表的數篇文章中，都未曾使用上述五大範疇所構成的因素組，而是將影響因素分為內在、外在及問題三個層面進行討論。所謂內在範疇（ internal context ），是指讀者依過去經驗或其預期心理選擇相關資料，此類型之典型變數為讀者對主題文獻之熟悉程度、對出版文獻的掌握程度、過去檢索經驗、以及教育背景等；而外在範疇（ external context ）則是針對影響檢索的因素而設計，所以此類型之典型變數為對檢索品質之認知、檢索目的、資訊取得程度之認知、資訊需求之優先順序、研究所處階段、及研究成果報告等；至於問題範疇（ problem context ）則是指使用書目資料的動機，這些動機包括界定定義、尋找背景資訊、確定研究方法及尋找比喻等。Park 所提出之三大影響範疇及其變數細目可以表 4-1 清楚表示。（註 41）

Barry 以內容分析法（ content analytic schemes ）找出 23 種影響相關判斷的因素，這些因素分別隸屬於七大類目。第一類是文件內容，其中包括文章深度及探討重點、資訊之正確性、可應用程度、效率高低、清楚程度、及出版年代等六個細目。第二類是和讀者過去經驗和背景有關之因素，其中包括作者之經驗和背景、理解能力、內容之新穎性、來源之新穎性、及文件之新穎性等。第三類和讀者之信仰及喜好有關，其細目包含讀者主觀認知之正確性及其個人嗜好等。第四類則是和資訊環境中其他資訊資源的關係，比如論點之一

表 4-1：影響讀者選擇書目之因素表

影響讀者選擇書目之因素表
◆內在範疇
讀者過去之經驗和預期
讀者對主題文獻之熟悉程度
讀者過去之檢索經驗
讀者之教育背景
◆外在範疇
讀者對檢索品質的認知
檢索目的
讀者對資訊取得程度之認知
資訊需求之優先順序
研究階段
研究成果報告
◆問題範疇
從不同問題領域中尋找研究方法
從不同問題領域中尋找主題架構
從不同問題領域中尋找比喻
從不同問題領域中尋找背景資料

資料來源：Taemin Kim Park, "The Nature of Relevance in Information Retrieval: An Empirical Study" (Ph. D. diss., Indiana University, 1992), p.92.

致性、其他學者對研究結果之認同、資訊之可獲取性、及個人擁有此類資訊的程度。第五類因素和文件的來源品質有關，其中包含期刊之品質及期刊之信譽等。第六類和文件的實體部分有關，例如取得文件的可能性及花費等。最後一類（第七類）則和讀者之情境有關，其中包含時間上的限制及讀者和文章作者間的關係等。表 4-2 詳細列舉各因素類目及其細目出現的次數及比例，結果顯示每位判斷者都會使用主題以外的資訊進行相關判斷，由此更可斷定在相關判斷的過程中，很多情境因素事實上扮演相當重要的角色，這些情境因素包含經驗、背景、知識程度、信仰、和個人喜好等。（註 42）

由於資訊需求者相關判斷的因素早已超越主題範疇，因此資訊需求者判斷相關的欄位應該超越題名、摘要及敘述語等高度具有主題意識之欄位。Park 在其博士論文中指出，資訊需求者會利用作者、期刊名稱、資料型態及年代等欄位進行相關判斷，但由於她使用質的研究（定性法），只能確知此種事實存在，無法獲取實際之統計數字。（註 43）此外，黃雪玲在其碩士論文中亦探討國人判斷相關所依據之欄位，她發現資訊需求者最常以摘要（302 次，佔 51%）及題名（259 次，佔 42%）判斷相關，以敘述語判斷相關的不到 7%（42 次），以資料來源（即期刊名稱）判斷相關的僅有 3 次（不到 1%），而整個研究中並無人以作者判斷資料之相關與否。（註 44）此結果顯示國人比較傾向以主題資訊決定相關，此現象很可能是由於其實驗對象多處於早期研究階

表 4-2：相關判斷因素出現次數表

因素類別及細目	次數	百分比 %
◆文件內容	**156**	**35.1**
文章深度及探討重點	64	14.4
資料之正確性	13	2.9
可應用程度	29	6.5
效率高低	16	3.6
清楚程度	9	2.0
出版年	25	5.6
◆讀者過去之背景經驗	**96**	**21.6**
背景經驗	19	4.3
理解能力	9	2.0
內容之新穎性	53	11.9
來源之新穎性	10	2.3
文件之新穎性	5	1.1
◆讀者信仰及喜好	**70**	**15.8**
讀者主觀認知之正確性	45	10.1
個人嗜好	25	5.6
◆和其他資訊資源的關係	**65**	**14.6**
論點之一致性	20	4.5
其他學者對研究結果之認同	19	4.3
資訊之可獲取性	21	4.7
個人擁有此資訊的程度	5	1.1
◆文件來源品質	**32**	**7.2**
期刊之信譽	18	4.1
期刊之品質	14	3.2

表 4-2：相關判斷因素出現次數表（續一）

因素類別及細目	次數	百分比 %
◆文件實體部分	**12**	**2.7**
取得文件的可能性	10	2.3
花費	2	6.4
◆讀者之情境	**13**	**2.9**
時間上的限制	6	1.4
讀者和文章作者間的關係	7	1.6

資料來源： Carol L. Barry, "User-Defined Relevance Criteria: An Exploratory Study," Journal of the American Society for Information Science 45:3 (April 1994), p.156.

段，很多情境尚在形成之中，所以使用主題欄位進行相關判斷的機率大為增加。此外，雖說 Park 並沒有提供詳細數據，但比較她們二人的研究結果，還是可以發現國人較少以作者和文件來源判斷相關，這很可能是國內研究生（該研究之實驗對象為國立台灣大學公共衛生研究所研究生）對外語文獻了解程度不夠所導致。

由影響相關判斷的因素可看出，相關不可能純粹由主題決定，許多非主題因素也會影響讀者之相關判斷，因此，相關絕不能被簡單定義為主題相關，一定得朝情境相關或心理相關的定義發展。事實上，目前對主題因素在相關判斷上所扮演的角色都無法釐清，更遑論其他非主題因素，所以國內外都迫切需要大量有關相關之實證型研究，以充分了解影響相關判斷的因素及相關判斷的決策過程，惟有透過蒐集更多實證型研究的結果，才有可能真正建立相關的理論基礎。

第四節 其他相關研究的成果

前文曾提及文件排列的順序會影響相關判斷的結果，Eisenberg 和 Barry 針對此現象作過深入的探討，他們發現將文獻依其相關程度由高至低排列或由低至高排列時，讀者會產生不同的判斷結果。當文獻根據相關程度由高至低排列時，判斷者通常會低估高相關文章之相關度，而相關文獻由低至高排列時，判斷者則會高估低相關文章的相關性，這種效果一般通稱為「賭注效應」（hedging effect）。（註 45）事實上，判斷者對第一篇文章，通常不會給予極高或極低的相關值，這也是賭注效應的另外一種表現（註 46），因此在進行相關判斷之實驗時，不宜將檢索結果依其相關程度排列，最好將檢索結果隨機呈現，或是根據其他非主題欄位進行排序（例如年代、作者姓名等），將文章排序對相關判斷之影響減至最低。

此外，還可以從經濟學上的「邊際效益遞減原則」（diminishing returns principle）探討文件排列順序對相關判斷的影響。(註 47)一般而言，如果前面幾篇文章的相關程度都相當高，後面同等相關的文章，其相關程度往往會被低估，就如同任何山珍海味，如果連續吃上數個星期，人們對其喜好的程度一定會大為下降。此種「邊際效益遞減原則」，配合前面提及之「賭注效應」，充分顯示出相關判斷之複雜性和多變性。換言之，相同的文章，相同的判斷者，僅因為文章排列順序之不同，即可能產生完全不同的相關判斷結果。因此，相關應被視為動態的概念，以反映其隨人類認知、知識、甚至感覺不斷變化的特性。

另外一個欲在此節中詳細闡述的是判斷者(人)對相關判斷的影響，其重點將擺在不同判斷者在判斷相同文獻時可能產生的不同相關判斷結果。此問題之研究者並不多，在 1990 年以前，只有 Barhydt 在 1967 年及 Figueiredo 在 1978 年曾分別發表文章論及此問題。(註 48)事實上，Barhydt 之文章在發表 24 年後(至 1991 年)只被引用過二次，其中一次是被 Figueiredo 所引用，由此更可證實此一問題其不受重視之程度。(註 49)在 Barhydt 的研究中，他比較系統專家和學科專家之相關判斷效益，結果顯示學科專家之效率(effectiveness，其值介於 -1 與 +1 之間，-1 表示判斷結果完全不一致，+1 則表示判斷結果完全一致)在-0.74 至 0.98 之間(平均值是 0.34)，而系統專家之效率則在-0.20 至 0.96 之間(平均值是 0.35)，也就是說，學科專家和系統專家間相關判斷結果的差異並不大。值得一提的是，

Barhydt 在其結論中指出：使用者（即資訊需求者）才是相關判斷的主人。（註 50）這個結論在使用者掛帥的今日聽起來格外悅耳，但卻是被遺忘多年的一項研究成果。

Figueiredo 研究讀者和非讀者（在其研究中是指館員）對核能方面之專題選粹服務其相關判斷結果之異同。此實驗中相關判斷之尺度爲三級（非常相關、相關及不相關），不管是讀者群或非讀者群，都是以題名爲相關判斷之惟一依據。結果顯示讀者和非讀者間之相關判斷結果其重合比率爲 57.2%，而且非讀者有低估文章相關性的傾向。同時，所有研究對象（包括讀者和館員）的效率是 0.17，意謂著他們比較擅長判斷不相關的文章。（註 51）

1990 年以後，比較不同判斷者的研究仍然不多，其中比較著名的是 Janes 和 Mckinney 合力完成及 Janes 獨力完成之二個研究。Janes 和 Mckinney 的文章在 1992 年發表，他們比較資訊需求者、檢索者（爲圖書館與資訊科學研究所研究生，均修過線上檢索課程）、圖書館與資訊科學研究所研究生（非檢索者，亦修過線上檢索課程）、及心理系大學部學生之相關判斷結果。在此研究中，除了資訊需求者外，其餘都是次判斷者（ secondary judgers ），其中檢索者和圖書資訊學研究生具備檢索知識，檢索者之主題知識可能較圖書資訊學研究生略爲豐富，而心理系大學部學生則是以主題知識見長。從其研究結果可以得知，所有的次判斷者都比資訊需求者容易將不相關資訊判斷成相關資訊，而這種情況又以圖書館學與資訊科學研究所之研究生最為嚴重。也就是說，圖書資訊學研究生由於缺乏學科背景，或是害怕讀者因此遺漏重要的相關資訊，因此對於沒有把握的文章，傾向以相關文章處理。同時，Janes 和 Mckinney 的研究尚指出，判斷不相關文章的一致性普遍高於判斷相關文章之一致性，除顯示出相關判斷的差異多發生於相關文章外，更可證實相關判斷是相當個人化的一種決策處理。（註 52）

至於 Janes 在 1994 年之研究，其研究重點和上文一樣，同樣是比較其他判斷者和資訊需求者間相關判斷之差異，但由於資訊需求者是最具資格進行相關判斷的人，因此研究方向擺在比較提供資訊服務的館員和資訊需求者之間相關判斷結果之異同。在此研究中， Janes 將次判斷者之族群分為館員、較具經驗之圖資系學生及初入學之圖資系學生。他發現次判斷者都傾向給予文獻較高之相關判斷結果，尤其是初入學的圖資系學生。至於在相關判斷的一致性上，館員的表現比較具經驗之圖資系學生為佳，而較具經驗之圖資系學生，其表現又比初入學之圖資系學生為佳。（註 53）上述結果與其在 1992 年和 Mckinney 合著之文章結論大致相似。不過，由館員表現最好而初入學之圖資系學生表現最差的情況看來，可以肯定專業訓練和工作經驗都有助於提高相關判斷的品質。

一般而言，國內有關相關判斷之理論性與實證性研究都相當少，黃雪玲之碩士論文可能是惟一一篇已發表之實證型研究。她的論文主要在比較資訊需求者與次判斷者之相關判斷結果，其中資訊需求者是國立台灣大學公共衛生研究所之18名研究生，次判斷者分別為具備和資訊需求者相同主題知識之其他公衛研究所研究生（18名）及具備書目檢索知識之圖書館學研究所研究生（18名）。結果顯示：三組判斷者中，以公衛次判斷者判斷出最多不相關文獻，換句話說，公衛次判斷者的相關判斷最為嚴謹，其次為資訊需求者，而圖館次判斷者則擁有最為鬆散的判斷結果。（註 54）黃雪玲對公衛次判斷者之嚴謹判斷成因並沒有很好的解釋（她以次判斷者個別認知上的差異及判斷動機較弱為由），但其對圖館次判斷者之鬆散判斷結果則有較佳的解釋，她認為原因可能在於缺乏主題知識的圖館次判斷者之猶豫判斷習性，容易給予文獻模稜兩可的判斷結果，再加上其盡可能提供讀者較多相關資訊的心理，因此比較不輕易做出不相關的決策，而傾向將文獻判斷為「部分相關」。此結果和 Janes 及 Mckinney 的研究發現相符。

此外，黃雪玲的研究還發現資訊需求者花費在閱讀判斷的時間最少（平均一筆 29.11 秒），圖館次判斷者則花費最多的時間閱讀文獻資料與進行相關判斷（63.26 秒），而公衛次判斷者的閱讀判斷所費時間居中（47.78 秒）。（註 55）造成上述現象的原因可能在於資訊需求者充分了解檢索主題並掌握部分資訊，因此花在相關判斷的時間最少；而圖館次判斷者由於缺乏主題知識，導致閱讀時間較長，再加上其猶豫的判斷習性，花費在相關判斷的時間自然最長。

事實上，相關雖然是資訊檢索領域中公認的核心概念，且其理論性與實證性研究相繼而出，但至今仍是一極具爭議性之概念。筆者一直以爲，資訊檢索所追求的最高境界應是系統之相關判斷結果完全等於讀者之相關判斷結果，於今這仍然是個遙遠的理想，因此惟有透過更多理論與實證型研究，點點滴滴累積對人類思考與行爲的認識與瞭解，才有可能達成上述目標。不過，必須強調的是，中國人使用的語言文字及其文化，對相關判斷必有相當程度的影響，因此不可能完全沿用國外的研究成果，必須建立起以國人及中文資料庫爲研究對象之本土性相關研究，方有可能設計出一套依國人邏輯思考判斷相關的線上檢索系統。

附　註

註 1　Tefko Saracevic, "The Concept of 'Relevance' in Information Science: A Historical Review," in Introduction to Information Science, ed. Tefko Saracevic (N.Y. : Bowker, 1970), p.114.

註 2　Ibid.

註 3　Ibid.

註 4　Linda Schamber, Michael B. Eisenberg, and Michael S. Nilan, "A Re-examination of Relevance: Toward a Dynamic, Situational Definition," Information Processing and Management 26:6 (1990), p.756.

註 5　B. C. Vickery, "The Structure of Information Retrieval Systems," in Proceedings of the International Conference on Scientific Information, February 1958, pp.1275-1289.

B. C. Vickery, "Subject Analysis for Information Retrieval," in Proceedings of the International Conference on Scientific Information, February1958, pp.855-865.

註 6　Ibid.

註 7　Schamber, Eisenberg, and Nilan, op. cit., p.757.

註 8　Saracevic, op. cit., p.117.

註 9　Ibid.

註10　Ibid., pp.117-118.

註11　C. A. Cuadra and R. V. Katter, Experimental Studies of Relevance Judgments: Final Report. I: Project Summary (Santa Monica, Calif.: System Development Corporation, 1967). NSF Report No. TM-3520/001/00.

A. M. Rees and D. G. Schultz, A Field Experimental Approach to the Study of Relevance Assessments in Relation to Document Searching. I: Final Report (Cleveland : Case Western Reserve University, 1967). NSF Contract No. C-423.

註12　Cuadra and Katter, op. cit., pp.34-41.

註13　Ibid., pp.18-21.

註14　Rees and Schultz, op. cit., pp.17-18.

註15　Schamber, Eisenberg, and Nilan, op. cit., p.763.

註16　Saracevic, op. cit., pp.120, 122.

註17　Schamber, Eisenberg, and Nilan, op. cit., p.763.

註18　William S. Cooper, "A Definition of Relevance for Information Retrieval," Information Storage & Retrieval 7 (1971), pp.19-37.

註19　Patrick Wilson, "Situational Relevance," Information Processing & Management 9 (1973), pp.457-471.

註20　Stephen P. Harter, "Psychological Relevance and Information Science," Journal of the American Society for Information Science 43:9 (1992), pp.602-615.

註21　Cuadra and Katter, op. cit., p.51.

註22　Saracevic, op. cit., p.120.

註23　Cooper, op. cit., p.20.

註24　Ibid., p.23.

註25　Ibid.

註26　Ibid., p.24.

註27　Ibid.

註28　Ibid., p.36.

註29　Wilson, op. cit., p.458.

註30　Ibid., p.460.

註31　Ibid., p.467.

註32　Ibid., pp.467-468.

註33　D. Sperber and D. Wilson, Relevance: Communication and Cognition (Cambridge, N.A. : Harvard University Press, 1986).

註34　Harter, op. cit., pp.602-603.

註35　Ibid., pp.602-615.

註36　Ibid., pp.610-611.

註37　Ibid., pp.612-613.

註38　Rees and Schultz, op. cit.

註39 Saracevic, op. cit., p.125.

註40 Taemin Kim Park, "The Nature of Relevance in Information Retrieval: An Empirical Study" (Ph. D. diss., Indiana University, 1992), pp.40-41.

註41 Ibid., pp.88-91.

註42 Carol L. Barry, "User-Defined Relevance Criteria: An Exploratory Study," Journal of the American Society for Information Science 45:3 (April 1994), pp.149-159.

註43 Park, op. cit., pp.93-102.

註44 黃雪玲，「資訊需求者與次判斷者相關判斷之比較研究」（國立台灣大學圖書館學研究所，碩士論文，民 84 年 6 月），頁 80-91。

註45 Michael Eisenberg and Carol Barry, "Order Effects: A Study of the Possible Influence of Presentation Order on User Judgments of Document Relevance," Journal of the American Society for Information Science 39:5 (1988), pp.293-300.

註46 Ibid., p.296.

註47 Ibid., p.297.

註48 Gordon C. Barhydt, "The Effectiveness of Non-user Relevance Assessments," Journal of Documentation 23 (1967), pp.146-149, 251.

Regina C. Figueiredo, "Estudo Comparativo de Julgamentos de Relevancia do Usuario e Nao-Usuario de Servicos de D. S. I.," Ciencia da Informacao--Rio de Janeiro 7 (1978), pp.69- 78.

註49 Joseph W. Janes and Renee McKinney, "Relevance Judgments of Actual Users and Secondary Judgers: A Comparative Study," Library Quarterly 62:2 (1992), p.153.

註50 Barhydt, op. cit., p.149.

註51 Janes and McKinney, op. cit., p.153.

註52 Janes and McKinney, op. cit., pp.150-168.

註53 Joseph W. Janes, "Other People's Judgments: A Comparison of Users' and Others' Judgments of Document Relevance, Topicality, and Utility," Journal of the American Society for Information Science 45:3 (April 1994), pp.160-171.

註54 同註 44，頁 67-78。

註55 同上註，頁 78-79。

第五章「相關」概念與檢索系統評估

檢索系統評估在資訊科學中可以算是一歷史悠久的領域，至少有40年以上的研究歷史。大概在1950年代，就有學者致力於檢索系統評估的研究，但此領域直到1960年代接受美國國家科學基金會（National Science Foundation）之研究獎勵後才漸趨成熟。在評估一般系統時，可以比較其成本和效益，但在評估文獻檢索系統時，似乎沒有這麼單純，因為有一種類似「檢索效益」（retrieval effectiveness）的特性必須被量化和質化，這種特性和被檢索出文獻的相關性、正確性或是被利用性有很大的關聯。如果能成功地質化和量化檢索效益，那最佳化檢索就不再是個難題，檢索系統評估所遭遇的問題也能迎刃而解。再者，在邏輯上，系統評估必須先於系統設計，否則設計者如何定奪所設計系統之優劣？所以在資訊科學或資訊檢索上，研究檢索系統評估有其絕對的必要性。

由於系統評估缺乏公認的標準，所以無法明確指出最佳之測量值，也不可能對成功的檢索加以定義。一般而言，討論系統評估的學者大致可分為相關派（relevance）和效用派（utility）兩大門派，目前相關派已佔絕對優勢，而且效用派的理論早已被融入相關學派之中。因此現今最常使用的檢索評估測量值還是相關導向的回收率（recall ratio）和精確率（precision ratio）（註 1），但由於相關本身缺乏明確的定義，再加上回收率及精確率存在反比的關係及無法正確計算系統中相關文章的篇數，因此學者對檢索系統評估的質疑也源源不斷。也就是說，系統評估的研究歷史雖然源遠流長，但此領域還是有不少基本問題尚待解決，而且這些問題短期內恐怕也都無法解決。正因如此，本章僅介紹過去學者研究系統評估的成績，指出其未來可能發展的方向，並嘗試以下列結構系統化地介紹檢索系統評估：第一節將以歷史觀點討論系統評估之測量值；第二節探討目前已經式微之效用派理論；第三節說明檢索評估的現況；最後二節則敘述系統評估實證性研究的結果（以 Cranfield 研究和 Salton 的實驗爲主），務求理論與實際並重，讓本書讀者能對系統評估的理論和實務有相當的了解。

第一節　測量值的歷史

從 1950 年代開始，系統評估在資訊科學中即扮演相當重要的角色，但檢索效益之質化與量化在理論上和實際上一直都無法突破，因此檢索系統評估也一直是資訊檢索領域尚待解決的問題之一。事實上，研究檢索評估的學者不斷努力地尋找合適的測量值來評估檢索效益，尤其是一個能用來正確評估檢索效益的單一測量值，但到目前爲止，還是無法成功地達成此目的。本節即嘗試從測量值發展史的觀點探討這些測量值的來源、特色、重要性及其衍生的問題。

第一個被用來計算「檢索效益」的測量值是精確率，其定義爲檢出文章中相關文章的比例。這是一個簡單易懂的概念，檢索到的相關文章比例愈高，自然被歸類爲較好的檢索。一般而言，精確率的公式如下：

公式1：$p = \frac{a}{e}$

p 表示精確率

a 表示檢出相關文章之筆數

e 表示所有檢出文章之筆數

大部分的學者對精確率都還算滿意，但他們也發現，兩次檢索的精確率即使相同，所得到之相關資料筆數卻可能差距很大。爲了彌補上述現象所造成的問題，回收率成了第二個用來評估檢索效益的測量值。一般而言，回收率是指相關文獻被檢出的比例，因此，系統評估不僅考慮到拒絕不相關文獻的能力（精確率），同時也測量系統找到所有相關文獻的能力（回收率）。直到現在，在線上書目檢索系統中，回收率和精確率還是兩個最爲接受並廣爲使用的評估標準。以公式表達回收率如下：

公式 2：$r = \frac{a}{f}$

r 表示回收率

a 表示檢出相關文章之筆數

f 表示資料庫中所有相關文獻之筆數

很不幸地，回收率和精確率間存在一種反比的關係，因此，如果A系統精確率高但回收率低，而B系統精確率低但回收率高，就無法論斷此二系統之優劣。在檢索中，如果要提高回收率，必定會降低精確率，反之亦然。也就是說，因爲回收率和精確率成反比的關係，因此檢索者不可能同時提高回收率和精確率，他必須在兩者之間作一選擇。如果無法權衡回收率和精確率孰重，可以嘗試將兩系統之回收率與精確率成反比之取捨線畫出，即可評估此二系統之優劣。

但系統評估的風波並未就此平息，學者開始質疑回收率和精確率只能應用在評估未經排序的檢索結果，如果要評估排序過的檢索結果，就必須使用「常態化精確率」（normalized precision ratio）和「常態化回收率」（normalized recall ratio）。一般而言，在排序輸出中，由於回收率和精確率決定於停止點，因此檢索到的文獻愈多，回收率通常會愈高，但精確率則隨之而降。事實上，很多研究在評估檢索系統時即採用常態化精確率和常態化回收率，如最有名的 Cranfield 研究（註 2）和 Salton 的實證性研究（註 3）等，其所定義之常態化精確率（公式3）和常態化回收率（公式4）之公式如下：

公式3：$P_{norm} = 1 - \frac{\sum \log(ri) - \sum \log(i)}{\log[n!/((N-n)!n!)]}$（註 4）

P_{norm} 表示常態化精確率

n 表示檢出相關文章之筆數

N 表示所有檢出文章之筆數

ri 表示第 i 篇相關文章在所有檢出文章中的順序

公式4：$R_{norm} = 1 - \frac{\sum ri - \sum i}{n(N-n)}$（註 5）

R_{norm} 表示常態化回收率

n 表示檢出相關文章之筆數

N 表示所有檢出文章之筆數

ri 表示第 i 篇相關文章在所有檢出文章中的順序

學者們繼續不斷地提出新的評估系統標準，許多新的測量值也因之陸續出現，雜訊比（noise ratio）是其中較重要的測量值之一。事實上，雜訊比的同義詞相當多，有人稱之爲原子塵（fallout）或是廢棄物（discard），但不管其以何爲名，可以得知都是檢索者不希望見到的現象，因此其比值自然是愈低愈好。一般而言，雜訊比的定義公式如下：

公式 5：$f = \frac{b}{m}$

f 表示雜訊比

m 表示資料庫中所有不相關文章之總數

b 表示檢出不相關文章之筆數

爾後資訊科學中興起了探討相關概念之理論性及實證性研究，目前這方面的研究仍然方興未艾。同時，由於回收率和精確率之反比關係及其他測量值之紛紛出現，研究系統評估的學者開始致力於尋找一單一測量值，此單一測量值可能是一新的測量值，也可能由舊有的諸多測量值組合成一新的公式。

部分學者提出以效用來代替相關在系統評估上的地位，他們認爲系統應該檢出讀者認爲有用（useful）的文章，而非相關（relevant）的文章，因此評估系統也應轉爲評估檢索所得文章之效用和價值（worth）。這是一單一標準，應該可以取代其他所有測量值。效用派學者認爲可以用金錢等日常生活用品來量化效用，藉著詢問讀者這篇文章的效用是多少錢來評估檢索效益，也就是說，讀者認爲這篇文章值多少錢，他願意用多少錢來換取這篇文章，可作爲對「檢索效益」的精確測量值。

效用和回收率、精確率等測量值一樣，都成爲評估系統的一種標準。但與回收率和精確率相較，效用就顯得複雜很多，實在不如回收率和精確率這麼自然易懂。同時，效用也缺乏簡單明確的公式，因此在系統評估上，大多數學者都認爲它充其量只是一個補充標準而已。

效用理論被提出後，最爲學者詬病的是其沒有考慮到未檢出相關文章之可能效益，也就是說，效用派忽略未檢出之相關文章的重要性。（註 6）但回收率和精確率一併使用則不然，因爲回收率是專爲計算系統中未檢出之相關文章而設計。也正由於回收率考慮到未檢出的相關文章，因此大部分學者都反對以效用作爲評估系統的單一測量值。但效用派學者卻認爲讀者不可能知道未檢出文章的影響，更何況正確估算資料庫中所有相關文章的總數，本身就是一件不太可能的事。

效用派學者認爲效用是評估系統最好的單一測量值，它是一種非常主觀的方法，各別讀者可以主觀決定該系統的效用，而許多讀者之效用平均值即可用來代表該系統的效用。一般而言，效用派學者根據效用理論（ utility-theoretic ）方法發展出一些公式來評估系統，但這些公式背後都有其預設狀況。

依其難易程度，效用的公式大致上可以分爲三級，最簡單的一種是應用在未經排序的輸出中，如果所檢出之文章篇數不多，可以一一詢問讀者每篇文章的效用而予以加總，其公式如下：（註 7）

公式 6： $U = v_1 + v_2 + v_3 + \ldots + v_n$

U 表示總效用

v 表示單篇文章之效用

第二個效用公式是假設讀者認爲有用的文章之價值爲常數 u（代表正效用），而讀者認爲無用的文章之價值爲常數 v（代表負效用）。因此在一次檢索中，假定總共檢索到 r 篇相關文章和 i 篇不相關文章，該次檢索之效用可以下列公式表示之：（註 8）

公式 7： $U = ru + iv$

U 表示總效用

r 表示相關文章之數目

u 常數，表正效用

i 表示不相關文章之數目

v 常數，表負效用

第三個效用公式是 William Cooper 非常有名的「預期檢索長度」（expected search length）的前身，主要是應用在經過大略排序（ weak ordering ）之輸出中。以此公式估算效用時，必須假設讀者預計檢索到 q 篇文章即能滿足其資訊需求，也就是說，當讀者檢索到 q 篇相關文章時即會離線。由於這是一經過大略排序的系統，若假設此序列中僅有 s 篇相關文章，那"q-s"就是前面所有序列之相關文章總數。同時，延續公式 7，假設正相關文章的效用和負相關文章的效用皆爲常數，加上用 r 來表示在停止序列中所有正效用文章的總數，以 i 來表示停止序列中所有負相關文章的總數，以 j 表示前面所有序列負相關文章的總數，此公式可書寫爲：（註 9）

公式 8 ： $U = qu + \left(j + \frac{is}{r+1}\right) v$

U 表示總效用

q 表示相關文章之總數

u 常數，表正效用

j 前面序列負相關文章之總數

i 停止序列負相關文章之總數

s 停止序列所欲找到之相關文章總數

r 停止序列所有正效用文章之總數

v 常數，表負效用

第四個效用公式即所謂的預期檢索長度。當比較兩個或兩個以上不同系統之績效時，由於假設 q 、 u 、 j 和 v 的值不變，因此公式 8 可簡化爲：（註 10）

公式 9 ： $e.s.l. = \frac{is}{r+1}$

$e.s.l.$　預期檢索長度

i　停止序列負相關文章之總數

s　停止序列所欲找到之相關文章總數

r　停止序列所有正效用文章之總數

預期檢索長度是指在找到所需相關文章篇數前必須忍受的不相關文章篇數，也就是說，系統必須在讀者所能忍受的「挫折點」（ frustration point ）之前找到足夠的相關文章。這是 William Cooper 在系統評估上所發展出的單一測量值，它的最大長處在考慮到讀者所需的相關文章數目，最大缺點則在於太過複雜。而且從表面上看來，效用派從公式 7 開始，都有一些似是而非且過分簡化的假設，例如在公式 7 中，假設所有的正相關文章等值（負相關文章亦等值），此問題一直延續到公式 8 和公式 9 。

事實上， Cooper 的預期檢索長度，背後有其相當深奧的哲理，他認爲一個理想的檢索系統應該極小化讀者所檢出的不相關文章筆數（正確的說法應該是負效用文章的筆數），也就是說，在找到一篇相關文章時所附帶找到的不相關文章筆數應該最小，因此預期檢索長度的值自然是愈低愈好。雖說花了很多時間才真正了解此公式的來龍去脈，也可以明白他爲什麼要假設 q 、u 、v 和 j 爲定值（因爲大量樣本通常可以消除個別差異所產生的影響），但對這種過分簡化還是心中存疑。

上述四個效用公式的呈現方式不同，但它們都嘗試量化相同的實體－－讀者效用（ user utility ）。一般而言，它們都難逃過於簡化且似是而非之假設束縛，因此對效用派不抱太大信心可能是明智的，也許根本就沒有簡單的公式能夠成功地量化效用。不過，效用派的前途黯淡並不表示系統評估必須退回回收率和精確率的二元評估，在 Cooper 心目中，如果無法找出能成功評估系統的測量值（可能是單一測量值，也可能是由數個測量值所組成的明確公式），那就暫時擱置系統評估方面的研究。

第二節 效用派理論

效用派之所以能在過去佔有一席之地，即表示其理論一定有過人之處，而其地位在今日逐漸式微，除了其學理已被融入相關學派之中，更可能的原因是一直無法找出令人口服心服的量化標準。眼見 Cooper 在 60 年代對效用理論充滿自信的文字，到 70 年代晚期的執著和失望，不知該感慨效用派先天在理論上即有缺失，還是研究上的後繼無人所造成。

事實上，相關派學者對相關更缺乏公認一致的定義，只是其用以評估系統的公式簡單自然，而且相關動態的本質有助於其吸收其他理論繼續成長，因此相關派早已超越效用派而成為系統評估的主流。由於第三章以完整一章詳加探討「相關」概念，因此特別在本章中闢出一節更進一步闡述「效用」概念，相信已經式微的理論仍然可以激勵讀者思索效用派帶給系統評估的省思。

由於第一節中已對效用派的基本理論作過一些介紹，因此本節的重點將擺在 Cooper 一篇解答其他學者對效用派各項質疑之文章上。（註 11）Cooper 認為理想的測量值應該能站在讀者的立場上正確地估算檢索效益，其中最自然的一種方法是由讀者根據其個人主觀價值判斷檢索所得文章之效用，這正是效用派基本精神之所在。一般而言，金錢交易在人類日常生活中是一件司空見慣的事，人類早已學會用金錢來衡量商品的價值。例如同樣是衣服，有些衣服顧客情願花上萬元購買，有些衣服卻是二佰元都乏人問津。同理，檢索所得的文獻也可以視為一種商品，當讀者第一次接觸到該篇文章時，他應該可以說出這篇文章的金錢價值，也就是說，使用者可能願意花費鉅款購買此一文件，也可能僅願意付出一百元或十元購買，當然也有可能不願花費任何一分錢在此文件上。在 Cooper 的心目中，任何一篇文章都有其報酬（ rewards ）和懲罰（ penalties ），其報酬可能來自文章的資訊本身或其休閒娛樂價值等，而其懲罰則源自於閱讀困難、文章艱澀難懂或其他由文件資訊所產生的不愉快經驗等。（註 12）因此，當書目資料或文章呈現在使用者眼前時，使用者可以根據該篇文章之報酬和懲罰來衡量其價值；換句話說，使用者可以自由心證地決定他願意花多少錢購買此一文件，也就是主觀認定該篇文件之效用。

在效用派中，單篇文章的效用一般通稱爲文件效用（ document utility ），由於檢索所得的文章往往有相當筆數，因此根據第一節中之公式 6，將同一檢索中每一篇文章的效用予以加總，就可以得到檢索效用（ search utility ）。同理，若將某系統中所完成之檢索其檢索效用予以加總並求取平均值，此平均值即爲該系統之系統效用（ system utility ）。因此在評估系統時，就可利用系統效用值之高低定奪該系統之優劣，也就是說，系統效用值較高者應爲較佳之系統。 Cooper 認爲利用系統效用來評估資訊檢索系統具有相當大的優點，因爲在某系統中完成之檢索次數通常很多，研究者往往因之掌握大量檢索效用的數據，而這些數據正是各種統計分析之最佳來源。舉例而言，根據常態分布的理論，可以預測該系統效用的信賴區間，如系統 A 在 99％的顯著水準下，其系統效用範圍是“ 3.5　0.2 ”。（註 13）

效用派理論自提出以來，反對的聲浪與攻擊的言論即接踵而來，但提倡單一測量值之效用派大師 Cooper 始終認爲，這些質疑的言論是來自反對者未能細察並充分了解效用派之精神所致。也就是說，這些攻擊或反對大都無傷大雅，其中只有少數意見可以作爲方法論上的參考。(註 14)因此，本節的重點在蒐集其他學者對效用派的質疑，嘗試站在效用派的立場，以辯證思維的方式，對這些攻擊或反對意見加以反駁。下文即爲學者對效用派質疑之總整理，在阿拉伯數字後是反對的理由，緊連的段落則爲反對理由的進一步說明及效用派可能提出的辯解。

一、效用派是完全主觀的(註 15)

Cooper 亦認爲效用派是完全主觀的，但主觀在此應是一項優點，因爲評估系統的優劣本來就應根據讀者主觀的感受進行評估，讓系統設計者進行評估反而是一種錯誤的決策。況乎相關判斷也是一種高度主觀的判斷，如果相關的主觀性並未影響相關的價值，那麼效用的主觀性也不應該對效用的價值造成任何不良影響。

二、判斷文章時的效用和文章的實際效用並不一致(註 16)

通常讀者在判斷效用時只是匆匆瀏覽，文章真正的效用必須經過仔細閱讀後才能確定，因此文章在判斷時的效用和其實際效用間往往存有差距。事實上，Cooper 認爲真正的效用只有一種，即文章本身的實際效用，只是效用和相關一樣，通常在未仔細及未完全閱讀的狀況下，判斷者即必須作出判斷。

三、系統的目的在提供相關文章，而非有效用之文章（註 17）

Cooper 認為相關是主題相關，因此和「關於」（about）緊緊相連；而效用的範圍則較大，除了依主題判斷外，尚需考慮文章之新穎性、重要性及權威性等，因此系統應該提供有效用的文章，而非相關的文章。以上文字僅為 Cooper 個人之看法，因為目前的相關早已超越主題相關，所有影響到效用的因素皆已融入相關之學理中。

四、讀者對文獻的高價值判斷可能與該文章真正的效用無關（註 18）

事實上，詼諧的文筆與迷人的寫作風格經常影響到使用者對文件效用的評分，但效用的評估本來就應考慮使用者對該文獻之所有觀點，因此當讀者認為詼諧和迷人的寫作風格很重要時，他應該有權利據此判斷文章的效用。事實上，在讀者導向掛帥的今日，考慮到使用者選擇文獻的各種因素早已被視為理所當然之事。

五、讀者對與檢索主題無關但引發興趣之文章可能給予高度效用評分（註 19）

事實上，讀者給予其感興趣而與檢索主題不合之文章高度效用評分，並沒有任何不妥之處。一般而言，產生主題不相關卻高效用的文章，這種偶然的成功在檢索上並不多見，一旦發生，站在讀者的角度，這篇不相關的文章仍具有高度價值，所以此反對意見無法對效用構成任何傷害。

六、知識是無價的，效用派不應以金錢作爲衡量效用的標準（註 20）

雖說知識是無價的，但一般大眾對花錢到書店買書均能勝任愉快，如果消費者可以決定他願意花多少錢購買此書，他就有同等的能力決定文件的價格。再說，以金錢爲交易工具，對任何消費者都應該是最自然的行爲，他們沒有理由不熟悉以金錢衡量事物時所應考慮的條件。

七、金錢的價值因人而異，無法成爲評估效用之一致性標準（註 21）

每個人對金錢的價值觀不同，同樣數目的金錢對不同的人也會產生不同的價值，例如 10 萬元對某些人已是鉅款，但對某些人而言卻是微不足道。同時，等值的價錢並不意謂其組成單位是相等的，例如當檢索總效用是 100 元時，它可能由 10 篇文件效用值爲 10 元的文章所組成，也可能由 4 篇文件效用值爲 25 元的文章所組成，因此金錢可能不是評估效用的最適當單位。另外，讀者用自己的錢和用別人的錢可能會導致完全不同的消費方式，再加上讀者即使能確定該篇文章對其具有一定的金錢價值，也經常無法精確地說出該篇文章之效用，以上即學者對以金錢作爲評估效用標準之部分質疑。不過，如果能採用隨機樣本且樣本數夠大的話，應該可以技巧地解決上述個別差異所造成的問題。

八、效用並不考慮文件所包含資訊之可讀性與正確性（註 22）

效用派只考慮到文件使用時的價值，因此當使用者無法理解該文獻時，儘管該篇文章的價值很高，使用者很可能給予其相當低的效用分數。同時，使用者可能無法判斷文獻所提供資訊之正確性，對資訊與誤訊的評估都使用同等的效用尺度。事實上，當使用者的能力無法了解或閱讀該篇文章時，即使是站在相關的角度探討，這篇文章也不應該被檢出。以情境相關來看，此文章並未考慮讀者之知識狀態；以心理相關來看，其無法改變讀者之知識狀態，因此該文獻被歸類爲不相關文獻是無庸置疑的。至於資訊之正確性，這是一個相當嚴肅的哲學問題， Wilson 認爲檢索系統應該自動過濾誤訊而僅提供資訊（註 23）， Cooper 自然也不可能提出誤訊和資訊具有同等價值的說法，因此他認爲在進行效用評估時，資訊專家或代檢者必須能辨識該資訊之正確性，以便讀者作出正確的效用判斷。然而， Cooper 的方法通常無濟於解決實際的問題，因爲大部分的資訊專家或代檢者可能不具備判斷文獻內容正確性的能力。

九、效用忽略未被檢出之相關文章的價值（註 24）

事實上，學者們對效用派的最大攻擊在其忽略未被檢出之相關文章的價值，而這些相關文章有可能是效用價值最高的一群文章，因此對檢索總效用應該有其決定性的影響。也就是說，效用派的最大缺點在於沒有融入回收率的概念。不過，Cooper 並不認爲這是一個相當大的危機，因爲資料庫中相關文章之筆數本來就無法正確估算，既然無法求得正確的回收率，以回收率評估系統就不具太大意義。但筆者對 Cooper 的想法並不以爲然，因爲無法檢索到所有相關文獻的系統，一定不可能成爲理想的資訊檢索系統。

十、檢索所得文件多寡對效用值大小有決定性的影響（註 25）

由於檢索效用的大小是其單篇文件效用的總和，因此當檢索所得的資料筆數愈多，檢索效用可能相對提高。也就是說，效用不像回收率和精確率，可經由適當的分母加以常態化，所以其受原始量之影響相當大。Cooper 認爲檢索所得文獻筆數之差異雖大，但當檢索樣本量夠大時，文件筆數對效用產生的影響將大爲降低。

除了上述問題外，效用派尚存在一些和相關派類似的爭議，其中以由誰判斷及何時判斷等問題最爲突出。一般而言，在合適判斷者的問題上，不管是相關派或效用派，目前都趨向由資訊需求者作價值判斷，尤其是效用派，更認爲只有使用者才能真正評估文章的價值。至於何時判斷的問題，這也是相關派和效用派共同存在的問題，因爲使用者在初見檢索文獻時、剛閱讀過文獻時、及閱讀文獻三個月後，其判斷結果（不管是相關判斷或是效用判斷）應該都會有所差異。此問題的解決方式恐怕只有根據目前的資訊需求進行相關判斷或效用判斷，因爲在動態的變化環境中，通常只能針對一需求點進行討論，而此刻的資訊需求往往是需求者惟一能掌握的點。此外，就如同相關一般，文章的排列順序對該篇文章的效用也會產生影響，此現象在相關領域仍缺乏大量且深入的研究，而效用研究因爲目前乏人問津，所以不可能對此現象進行系統化的分析，因此更無法得知文章排列順序對效用產生的真正影響。

姑且不論效用派的優劣得失，在系統評估中，測量標準所衍生的問題一直無法迎刃而解，因此學者們也持續努力地尋找合適的測量值，期望此標準能達成正確估算檢索效益的目標。一般而言，如果單一之測量標準的確存在，其很可能尚未被發現且需要更進一步的研究；但如果無法找出合適的單一標準，則如何將數個測量標準結合（包括研究各測量標準之加權值），應該是研究系統評估之重點所在。

第三節 檢索評估

檢索評估可謂系統評估的基礎，因爲只有在成功地評估系統中每個單一檢索之績效後，才有可能真正做好系統評估的工作。一般而言，檢索評估的目的在於了解檢索結果滿足資訊需求的程度（註 26），這個問題通常不希望被視爲是非題作答，最好能以相關資料筆數之多寡來表達對檢索滿意程度之強弱。通常資訊需求的滿足可以從很多不同的角度進行探討，其中較常被提及的觀點包括檢索之品質、檢索效率、檢索系統本身及檢索者之檢索技巧等。本節將針對這些不同的觀點一一進行討論。

在探討檢索評估之前，擬以最具代表性之 2 乘 2 表格說明系統評估中三個相當重要的測量值，分別是回收率、精確率和雜訊比。（註 27）表 5-1 顯示此 2 乘 2 表格之內容，其應用的範圍相當廣泛，它將所有文獻以其是否相關和是否被檢出分類。由表 5-1 可得知，a 代表相關文章被檢出的筆數，b 代表不相關文章被檢出的筆數，c 代表未被檢出之相關文章筆數，d 則代表正確回絕之不相關文章筆數。因此，a 和 b 的聯集代表所有檢出之文章筆數（不論此文章是否相關），c 和 d 的聯集代表資料庫中所有未被檢出之文章筆數（不論此文章是否相關），a 和 c 的聯集代表資料庫中所有相關文章的筆數（不管此文章是否被檢出），b 和 d 的聯集則代表資料庫中所有不相關文章的筆數（不管此文章是否被檢出）。因此，回收率、精確率和雜訊比可透過表 5-1 一目瞭然地呈現在讀者眼前。整體而言，精確率是指相關文獻在檢出文章中所佔的比例，回收率是指檢出之相關文獻佔所有相關文獻的比例，而雜訊比則是檢出之不相關文獻筆數與資料庫中所有不相關文獻筆數之比值。當然，回收率和精確率的值是愈高愈好，但雜訊比之值卻是愈低愈好。

表 5-1：回收率、精確率和雜訊比之 2 乘 2 表格

	相關	不相關	總數
檢索到	a	b	a＋b
未檢索到	c	d	c＋d
總數	a＋c	b＋d	a＋b＋c＋d

$$\text{回收率} = \frac{a}{a+c} = \frac{\text{檢索所得之相關文章筆數}}{\text{資料庫中所有相關文章筆數}}$$

$$\text{精確率} = \frac{a}{a+b} = \frac{\text{檢索所得之相關文章筆數}}{\text{檢索所得之所有書目筆數}}$$

$$\text{雜訊比} = \frac{b}{b+d} = \frac{\text{檢索所得之不相關文章筆數}}{\text{資料庫中所有不相關文章筆數}}$$

資料來源：S. E. Robertson, "The Parametric Description of Retrieval Tests," Journal of Documentation 25:1 (1969), p.3.

首先探討檢索品質。一般而言，評估檢索品質最常使用的標準測量值是回收率和精確率，此二測量值在本章中曾多次以不同的方式呈現。在理論上，回收率是測試系統檢索到所有相關文章的能力，所欲測量的本質是檢索結果之

完整程度；而精確率則是測試系統拒絕不相關文獻的能力，其測量的本質為檢索結果之正確程度。因此，高回收率和高精確率通常代表高品質檢索。然而，回收率和精確率受到很多因素的影響，比如索引之詳盡程度、索引之專指程度、資訊需求者陳述檢索問題的能力、以及檢索者發展檢索策略及列舉檢索詞彙的能力等。因此，在比較二系統之優劣時，必須設法控制其他變因，否則在無法控制諸多變因的情境下，純粹比較各系統之回收率和精確率的高低，並不具太大的意義。

其次從檢索效率的觀點來看系統評估。如果想衡量單次檢索之效率，可以從檢索所花費的時間和金錢來計算檢索效益，也就是說，透過比較每檢索到一筆相關資料所需花費之時間或金錢來作比較。若以時間為單位，假設A檢索之單篇相關資料需耗時30.26秒，而B檢索僅需24.32秒，可因此推定B檢索為較佳之檢索。若以所費之金錢進行比較，假設A檢索每篇相關文章平均耗費8.76元台幣，而B檢索卻需10.28元台幣，自然可由此推定A檢索為較佳之檢索。雖說可用單篇文章所耗費之時間或金錢來評估檢索效益，但此標準並不常應用於實際之檢索評估中，因為學者總認為純粹以金錢和時間的價值來評估系統過於冒險，在單篇文章花費低、費時少的狀況下，還是可能發生遺漏重要相關文獻或是檢索出過多不相關文獻的窘態，所以回收率和精確率雙管齊下通常是較為周全的方法。

至於檢索系統本身，可以從其親和力、回應時間和顯示格式三方面進行評估。在親和力上，通常讀者都希望能擁有使用容易之聰慧介面，方便其研擬檢索策略或檢索敘述，同時線上救援系統必須直接而適切，以簡單易懂的文字適時提供讀者必要的幫忙。因此，錯誤訊息最忌語意含糊，不宜以「語法錯誤」（syntax errors）代表所有有關語法錯誤之訊息，明確標出錯誤所在是設計錯誤訊息之最高指導原則。在回應時間上，幾乎所有的讀者都希望愈快愈好。一般而言，回應時間之定義爲讀者輸入指令至系統回應訊息間的等待時間，其快慢受到電腦設備、檢索問題之特性、使用人數及資料量大小之影響甚鉅。事實上，一個回應時間極爲緩慢的系統，等於是浪費讀者寶貴的時間在做無意義的等待，非常容易讓讀者產生反感。例如目前透過網路使用 STICNET 或是 DIALOG 系統時，經常爲網路上之塞車所苦，輸入指令後往往必須等待數分鐘後才見回應，這是目前亟待解決的問題之一。在顯示格式上，理想之資訊系統除能以簡明的畫面呈現資訊外，最好還能提供讀者選擇顯示項目及順序之彈性，因爲良好的畫面設計可以幫助讀者以最快的速度掌握其所需資訊，同時，自然悅目的畫面也可舒緩讀者在找尋資料時所面臨的壓力。

至於檢索者個人之能力與檢索技巧，對檢索結果的影響相當大，但一般進行檢索評估時，很少涉及對檢索者的評估，因爲系統評估者總認爲其評估的重點在系統和資料庫，因此往往只有在評估參考晤談時，才會深入探討有關檢索者之因素。事實上，資訊檢索是一連串人機互動的過程，檢索者永遠是資訊系統最重要的構成要件，因此在進行系統評估時，理想的狀況是將實際操作系統的檢索者列爲評估項目之一。Harter 即指出若要完整地考慮系統評估，必須將系統和人共同列入考量才有可能（註 28），他並認爲這是系統評估上一個相當值得思索和努力的方向。表 5-2 嘗試以圖表方式說明可用來評估檢索者效益之項目，其中包括檢索者選擇資料庫的能力、選擇檢索系統的能力、使用布林邏輯結合概念的能力、使用詞彙表達概念的能力、了解資料庫結構及資料庫索引法的能力、使用檢索指令的能力、使用檢索技巧改進檢索的能力、處理突發事件的能力、及轉換資訊需求爲檢索敘述的能力等。

除了上述標準外，尚有一些較不常被使用的評估標準，例如新穎程度（ novelty ）、讀者對檢索的主觀滿意程度、錯誤率及猶豫程度等。新穎程度是指檢索出讀者事先不知道的相關文章數目，一般而言，讀者檢索前就已經掌握的相關文章，系統可自動刪除，以避免重複列印資料和閱讀資料所損失的時間和金錢。不過，由於目前讀者對系統普遍存在一種不信任感，很多讀者會利用系統是否找出其已知之相關文獻大致判斷系統之優劣，倘若貿然除去重複資料且未告知讀者，很可能會加深讀者對系統的不信任感。同時，僅呈現相關且具新穎性的資訊象徵著系統必須完全了解讀者在

表 5-2：影響檢索結果之檢索者特質表

影響檢索結果之檢索者特質表
◆選擇資料庫的能力
◆選擇檢索系統的能力
◆使用布林邏輯結合概念的能力
◆使用詞彙表達概念的能力
◆了解資料庫結構及資料庫索引法的能力
◆使用檢索指令的能力
◆使用檢索技巧改進檢索的能力
◆一些和檢索有關的個人特質，如彈性、接受新知程度、及突發事件的反應能力等
◆轉換資訊需求為檢索敘述的能力

資料來源： Stephen P. Harter, Online Information Retrieval : Concepts, Principles, and Techniques (New York : Academic Press, 1986), p.161.

檢索時的知識狀態，這對目前的資訊系統仍然是個遙不可及的理想。至於讀者對檢索之主觀滿意程度（或是讀者認爲此次檢索之成功程度），可謂是一概括性的評估，評估者希望藉此整合性問題來判斷檢索品質。 Su 在其一篇有關檢索評估測量值的文章中，即以讀者認爲此次檢索之成功程度爲評估所有測量值之標準。（註 29）但因爲此概括性問題過於主觀，沒有考慮到系統找出相關文獻和拒絕不相關文獻的能力，因此在使用時必須相當小心。至於錯誤率在系統評估上的應用，由於系統愈容易使用，讀者犯錯的機率愈低，因此錯誤率較低之系統通常被視爲較佳之檢索系統。然而錯誤率高低和檢索品質之間並不存在絕對的關係，所以此標準通常僅能視爲一種輔助標準，以錯誤率爲單一標準來評估系統並不十分恰當。至於猶豫程度，其定義爲線上停頓時間和線上移動時間之比值，爲筆者所提出之評估標準。（註30）此標準假設讀者在線上思索猶豫的時間愈多，正是系統介面不夠理想的行爲反應，因此當讀者之線上猶豫程度愈低，表示此系統爲較佳之檢索系統。值得一提的是，猶豫程度和錯誤率一樣，其與檢索品質間並沒有絕對關係存在，因此最好不要單獨使用此標準進行系統評估。最後，筆者嘗試將所有提及之系統評估標準彙整一處（見表 5-3），以供讀者快速參考之用。

在整個系統評估的歷史及應用層面上，回收率始終扮演一相當重要且具爭議性的角色，除了其與精確率成反比關係所衍生的問題外，無法正確得知資料庫中所有相關文章筆數也帶給回收率莫大的困擾。爲了正確計算回收率，很多大型研究只能選擇在實驗的環境下進行，但即使在實驗的環境中，往往也無法正確掌握所有相關文章的筆數，研究結果也因此被攻擊，第二次 Cranfield 研究就是一個非常好的實例。（註 31）在圖書資訊學的研究中，學者們也嘗試發展

表 5-3：系統評估之標準

系統評估之標準
◆回收率
◆精確率
◆檢索效益
每篇相關文章所花費之時間
每篇相關文章所花費之金錢
◆檢索系統
親和力
回應時間
顯示格式
資料庫收錄範圍
◆檢索者（見表 5-2）
◆新穎程度
◆讀者對檢索之主觀滿意程度
◆錯誤率
◆猶豫程度

出一些估計資料庫中相關文獻的方法，但這些方法都只能取得估計值，目前對正確掌握資料庫中相關文獻筆數尚一籌莫展。一般而言，較常用來估計相關文獻筆數的方法有二：一爲平行檢索法（parallel searches），一爲插補法（extrapolation）。（註 32）所謂平行檢索法是指由數位資訊中介者針對同一檢索問題進行檢索，假設共有三位檢索者，可以 A 檢索者所檢出之相關文章爲基礎，加上 B 檢索者

所檢出之新的相關文章（即 A 檢索者並未檢出之相關文章），再加上 C 檢索者所檢出之新的相關文章（即 A 、 B 二檢索者都未檢出之相關文章），也就是說，可以上述三位檢索者所檢出之所有相關文章筆數，來估計資料庫所有相關文章筆數。通常在使用平行檢索法時，檢索者不能互相參考對方的檢索策略，而且必須在資料庫尚未更新前完成所有檢索。（註 33）不過，即使是多位檢索者針對同一問題進行檢索，相關文章還是有可能未被找出，因此平行檢索只能獲得估計的值，通常在檢索者愈多的狀況下，這個估計值會愈接近正確的值。至於插補法，這是一個較為抽象的估計方法，在使用此法時，必須在二個主題類似的資料庫中分別進行檢索，例如要估計某檢索問題在 INSPEC 中之回收率，即可同時檢索 INSPEC 和 COMPENDEX 二主題類似之資料庫。假設在 COMPENDEX 資料庫中檢出 10 筆相關資料，而這 10 筆資料中只有 8 筆在 INSPEC 檢索中被找出，則可大致上推算 INSPEC 之回收率為 0.8 ，因為在回收率 100 %的情況下，這 10 篇文章都應該在 INSPEC 資料庫中被找出來。當然，在估算回收率前必須先確定 INSPEC 資料庫中確實收錄上述二篇未被檢出之相關文章，否則會低估 INSPEC 資料庫之回收率（通常可以作者檢索快速確定資料庫是否收錄這些資料）。

第四節 Cranfield 研究

Cranfield 研究在系統評估的歷史上是一件家喻戶曉的大事，雖說其研究開始於 1950 年代末期，結束於 1960 年代中期，但直至今日，還是不斷有人引用當年的研究成果，其研究方法和研究結果所帶來的影響相當深遠。 Cranfield 研究可以分爲前後二期，皆由 Cleverdon 所完成，一般將早期的研究稱爲 Cranfield I ，而後期的研究則稱之爲 Cranfield II。前後二期 Cranfield 計畫的目的都是爲找出較佳之索引語言（索引語言在此包括分類系統和檢索系統），其中第一期 Cranfield 計畫（ Cranfield I)僅測試四種索引語言(註 34)，第二期則大幅擴大所測試之索引語言的範圍和種類。（註 35）本節將分別介紹第一期和第二期 Cranfield 計畫，但討論的重點將擺在第二期 Cranfield 研究上。

第一期的 Cranfield 研究報告在 1960 年發表（註 36），用來評估系統的館藏是 Case Western Reserve University 圖書館中 1,100 多篇有關冶金學的文章， Cleverdon 根據這批館藏評估四種索引語言之優劣，分別是國際十進分類法（ Universal Decimal Classification ）、層面分類法（ Facet Classification ）、依字母順序排列之主題索引（ alphabetical subject catalog ）和單詞組合索引法（ uniterm system of co-ordinate indexing ）等。在第一期 Cranfield 計畫中，是以回

收率和精確率來評估上述四種索引語言之績效，其中回收率用來測試系統找到所有相關文獻的能力，通常可經由同義詞或切截等之使用來增加回收率，而精確率則是爲測試系統拒絕不相關文獻的能力所設計，一般可利用組合索引（不管是前組合索引或是後組合索引）、「聯結」（ links ）或「角色」（ roles ）等方法提高精確率。經由 Cleverdon 的實驗，發現這四種索引語言的表現難分軒輊，也就是說，利用這四種索引語言來組織知識所得到的檢索效益大體上是一致的。 Cleverdon 認爲造成上述結果的原因在於四種索引語言都是爲同時提高回收率和精確率所設計出之混合產品，例如國際十進分類法本身即是一種層面分析法，但其同時也融合了單詞索引的精神，正由於這四種索引語言背後的設計理念互相重合且無法分離，因此也不可能正確衡量出各種組織資訊的方式對檢索效益所能產生的影響。（註 37）

第一期 Cranfield 計畫未能找出較佳之索引語言，因此 Cleverdon 開始其第二期 Cranfield 計畫，希望能找出最佳之索引方式。根據第一次失敗的經驗， Cleverdon 將索引語言大致分爲三類，分別是單一詞彙語言（ single term language ）、簡單概念索引語言（ simple concept index language)和控制詞彙索引（ controlled term index)等三種，然後再將各種能提高回收率和精確率的方法附加於各索引語言之下（例如切截、同義詞、或類同義詞等），總共產生了 33 種不同的索引方式，第二期 Cranfield 計畫即在比較這

33 種索引方式之檢索效益。（註 38）在第二期 Cranfield 研究中，用來比較檢索效益的測量值是常態化回收率，由於不管是使用回收率或常態化回收率，都必須知道資料庫中所有和該主題相關的文獻數目，因此 Cleverdon 花了相當多的時間和精力在決定回收率中之分母值。事實上， Cleverdon 求得資料庫中所有相關文獻的方法曾遭受學者們相當嚴厲的批評與質疑（註 39），儘管其研究設計的過程已十分嚴謹。由於必須具備檢索問題及其所有相關文獻，才有可能得知各種索引方式之檢索效益，因此 Cleverdon 蒐集一些有關太空動力學的最新文章，請每位作者根據這些文章及其目前研究的主題提出檢索問題，並要求他們根據自己提出的檢索問題對文後所附之參考書目進行相關判斷，據此， Cleverdon 總共蒐集了 200 多個問題及 1,200 多篇文章。但由於無法將各別檢索問題連同 1,200 篇文章送交作者進行相關判斷，更無法要求這些學者根據問題嘗試找出所有相關文獻，所以 Cleverdon 請了 5 位具有太空動力學學科背景之研究生，花了 1,500 小時做了 50 萬次以上的相關判斷，希望能將所有相關文獻一網打盡。此外， Cleverdon 惟恐學生對相關文獻的搜尋仍有疏失，所以又利用聚合性書目（ bibliographic coupling ）的方式再度找出一些相關文獻。最後， Cleverdon 才將所有的相關文獻送回給作者，請其根據檢索題目進行相關判斷，也就是說，每位作者最後拿到的文獻都包括原始文章（作者本身之作品）、原始文章之參考書目、學生所找到

的相關書目及聚合性書目所找到的相關文獻，由此可見 Cleverdon 在找出所有相關文獻所費的苦心。（註 40）

第二期 Cranfield 計畫的目的在比較三種索引語言及其附屬索引法互相結合後之檢索效益，大致而言，其研究結果發現單一詞彙的總體表現最好，其次是控制詞彙索引，表現最差的則爲簡單概念索引語言（見表 5-4）。（註 41）事實上，Cleverdon 原先嘗試採用回收率和精確率雙管齊下的方式來評估系統，但由於其互成反比的關係導致研究結果在解釋上的困難，所以才改用常態化回收率爲單一測量值，表 5-4 即根據常態化回收率由高至低排列 33 種不同的索引方式。由表 5-4 可得知，表現最好的單一詞彙（其以自然語言之單詞狀態存在），將其附加切截及同義詞，則是表現最佳的二種索引方式。而表現最差的簡單概念索引語言，由於其以自然語言之複合語狀態存在，所以在 33 種索引方式中之檢索表現最差，因此不管採用任何輔助索引方式都可以提高其檢索效益。至於表現居中的控制語彙，其最好的狀況是以基本詞彙（basic terms）進行檢索，其他任何一種輔助索引法（包括廣義詞、狹義詞或同義詞等）都無法提升其檢索效益。一言以蔽之，Cleverdon 研究的結果發現，最有效率且最經濟的索引方法是單一詞彙（以自然語言狀態存在）外加切截及同義詞，這種簡單合理的方法往往可以發揮最高的檢索效益。

表 5-4：33 種索引語言之檢索效益排名表

排名	常態化回收率	索引語言	
1	65.82	單一詞彙	切截
2	65.23	單一詞彙	同義詞
3	65.00	單一詞彙	自然語言
4	64.47	單一詞彙	同義詞、切截、類同義詞
5	64.41	單一詞彙	第二階層詞彙
6	64.05	單一詞彙	第一階層詞彙
7	63.05	單一詞彙	同義詞、類同義詞
7	63.05	簡單概念	階層和字母順序類似詞彙
9	62.88	簡單概念	第二層字母順序類似詞彙
10	61.76	控制詞彙	基本詞彙
10	61.76	控制詞彙	狹義詞
12	61.17	單一詞彙	第三階層詞彙
13	60.94	摘要	自然語言
14	60.82	摘要	切截
15	60.11	控制詞彙	廣義詞
16	59.76	題名	切截
17	59.70	控制詞彙	相關詞
18	59.58	控制詞彙	廣義詞、狹義詞
19	59.17	控制詞彙	廣義詞、狹義詞、相關詞
20	58.94	題名	自然語言
21	57.41	簡單概念	完整組合
22	57.11	簡單概念	第一層字母順序類似詞彙
23	55.88	簡單概念	完整之類屬詞彙、廣義詞
24	55.76	簡單概念	階層詞彙選擇
25	55.41	簡單概念	完整之類屬詞彙
26	55.05	簡單概念	選擇性類屬詞彙、廣義詞

表 5-4：33 種索引語言之檢索效益排名表（續一）

排名	常態化回收率	索引語言	
27	53.88	簡單概念	選擇性調和詞彙、旁系詞彙
28	53.52	簡單概念	選擇性類屬詞彙
29	52.47	簡單概念	完整之旁系詞彙
30	52.05	簡單概念	廣義詞
31	51.82	簡單概念	選擇性調和詞彙
32	47.41	簡單概念	同義詞
33	44.64	簡單概念	自然語言

資料來源： Cyril W. Cleverdon, "The Cranfield Tests on Index Language Devices," Aslib Proceedings 19:6 (1967), p.189.

一般而言，造成單一詞彙表現最好的原因可能在於其完全反映自然語言的專指程度，若能適時配合同義詞及切截，雖然其專指程度會略爲降低，但其檢索效益往往更爲出色，因爲過分專指經常會造成回收率下滑的現象。不過，更進一步降低其專指程度，例如附加類同義詞和階層詞彙等，由於專指程度下降太多，反而無法提高檢索效益。（註 42）簡單地說，單一詞彙就像一般檢索敘述中之關鍵字，使用的是後組合系統（ post-coordinate system ）；而簡單概念則是片語索引，使用的是前組合系統（ pre-coordinate system ）；至於控制詞彙在第二期 Cranfield 研究中則是指 Engineers'

Joint Council Thesaurus 中之索引詞彙。表 5-4 顯示表現最好的七種方法都是單一詞彙，比較恰當的解釋可能在於單一詞彙之專指程度和資訊需求完全吻合，因此往往可以得到最好的檢索結果；而簡單概念由於太過專指，所以在檢索表現上反而最差。然而研究結果證實了控制詞彙在檢索上的表現無法和單一詞彙相比，這是 Cleverdon 完全意想不到且不願見到的研究結果。事實上，第二期 Cranfield 計畫的結果遠在 Cleverdon 的意料之外，當他得知此令人驚訝的結果之後，曾將整個實驗重做一遍，但還是得到完全相同的結果，所以他只好設法從其他角度解釋其研究成果。

Cleverdon 的研究推翻控制語彙較自然語言為佳的說法意謂圖書資訊人員在整理組織資訊上雖投入大量時間及人力，但其檢索效益仍然無法超越自動索引，實為人力資源上極大的浪費。因此，圖書館界自 Cleverdon 的研究結果公布以來，一直不斷質疑其研究成果，其中最有名的批評來自 Harter 和 Swanson 二位學者。他們均認為 Cleverdon 並沒有找出系統中所有的相關文章，因此回收率的計算恐怕大有問題，如果以正確的回收率來比較檢索結果，第二期 Cranfield 計畫可能會得到完全不同的研究結果。事實上， Harter 和 Swanson 都質疑學生找到所有相關文獻的能力，如果學生有能力找到所有相關文獻，利用聚合性書目時就不該再找出任何相關書目，所以他們根據學生找到的相關書目出現在聚合性書目中之比率，推測學生們總共遺漏了七仟多篇（ 7,637

篇）相關文章，這筆龐大的相關文章數目對回收率及常態化回收率都具有決定性的影響。（註 43）

由於第二期 Cranfield 計畫被視為系統評估之里程碑，因此引用該文獻的學者一直相當多，即使在 90 年代的今日，還是有人不斷引用其研究結果，再加上一些重要研究即以 Cleverdon 所蒐集之資料庫為其實驗性館藏（例如 Salton 的碩士論文及博士論文等），因此 Harter 和 Swanson 對第二期 Cranfield 計畫所提出之批評也就顯得格外重要。事實上，Swanson 除和 Harter 分別質疑 Cleverdon 可能遺漏七仟多篇文章外，還對其相關判斷之過程提出批評（因為 Cleverdon 讓作者修改檢索問題，並容許判斷者根據他人相關判斷的結果修正自己相關判斷的結果）。同時，Swanson 認為透過學生和聚合性書目找尋相關文獻，仍然不能保證找全所有相關文章，可能還有更多相關書目成為漏網之魚，因此 Cleverdon 所遺漏的相關書目可能較七仟多筆為高，這應該是一個合理的推測。（註 44）但筆者以為，利用學生找到之相關書目出現在聚合性書目中的比例，推算 Cleverdon 所遺漏之相關書目筆數的作法實有待商榷，因為聚合性書目本身並不是所有相關書目的隨機樣本；再者，即使學生真的遺漏一些相關文章，雖然無法得知各種索引法間其檢索效益之真正差距，但依據各種索引方法之相對表現比較其孰優孰劣應無問題。

儘管第二期 Cranfield 研究計畫所得到的研究結果相當

具爭議性，但此研究在系統評估的歷史地位卻不容置疑。事實上，Cleverdon 的研究結果相當發人深思，如果控制詞彙的表現比不上關鍵字的後組合，則可能意謂著圖書資訊人員整理組織資訊所採用的分類編目與索引摘要的方式必須通盤檢討，與其一味地批評其研究方法，不如回過頭來努力追尋一種更好的整理組織資訊的方式。

第五節 Salton 和其他研究結果

Salton 是美國康乃爾大學電腦科學系的知名教授，他的專長在資訊檢索和自動索引等方面，因此和圖書館界的關係可謂是淵源極深。Salton 的研究開始於 1960 年代初期，當時所使用的測試資料庫（即 SMART 系統）是以 Cleverdon 在第二期 Cranfield 計畫中所蒐集的實驗性館藏爲本，其原始構想是想證明圖書館界長期使用的文獻分析或內容分析的方法，應比一般關鍵字檢索能達到更好的檢索效果。（註 45）但在 1965 年，初期的研究成果推翻其原先的預測和假設，加權關鍵字加上切截後的表現相當突出，而一些複雜的文獻分析方法，例如索引典中之階層關係及同義詞關係等，其表現卻遠較預期爲差。（註 46）於是 Salton 在 SMART 系統上進行更進一步的研究，他發現摘要在檢索上的表現比題名好，而加權詞彙的表現也較未加權詞彙爲佳，此外，單一詞彙和切截結合之表現並不比複雜的索引典關係遜色。

（註 47）事實上，SMART 系統和第二期 Cranfield 計畫所獲得的研究結果不謀而合，Salton 認爲這不是一種偶然，而是真相使然。

1973 年，Salton 企圖比較關鍵字自動索引和 Medlars 人工索引在檢索效益上的差異，結果發現自動索引的表現不會比人工索引遜色。（註 48）以實際數據說明，關鍵字自動索引較 Medlars 人工索引之回收率高出 12％，但精確率卻下降 9％。（註 49）到了 1983 年，SMART 系統已全然超越 Cleverdon 的實驗性館藏，由一仟筆資料成長至五萬筆資料。由於 Salton 已經相當肯定關鍵字自動索引（或單一詞彙）的檢索效益，因此他將研究轉向檢索方法對檢索效益之影響，例如群聚檔案組織（cluster file organization）及相關回饋（relevance feedback）等，希望能找出比現行利用布林邏輯運算元結合詞彙更好之檢索方法。（註 50）

在系統評估的歷史上，除了第二期 Cranfield 計畫和 SMART 實驗外，還有 Blair 和 Maron 所進行的大型研究。Blair 和 Maron 在 Stairs（Storage and Information Retrieval System）上儲存了 4 萬多篇文章，大概是 35 萬頁的全文資料。他們利用 40 個問題測試系統，其使用的檢索方法是未經加權的關鍵字和布林邏輯結合檢索，所得到的平均精確率是 0.79，而平均回收率則爲 0.20。一般而言，Blair 和 Maron 對此檢索結果相當滿意。不過，0.79 的精確率雖可算是不錯的檢索結果，但 0.20 的回收率則顯得過低。事實上，大部分的檢索者根本未意識到低回收率的現象，他們甚至以為其回收率高達 0.75，所以他們對檢索所得結果非常滿意。雖然如此，低回收率在檢索上始終被視為相當嚴重的問題，因為理想的檢索系統應該檢索到所有的相關文章，一個遺漏 80 ％相關文章的系統絕對無法被歸類為良好之檢索系統。在系統評估中，一直有部分學者認為精確率較回收率重要，因為讀者通常只能察覺檢索所得的不相關文章，但卻無法意識到未檢出之相關文章的存在，就如同上述 0.2 之低回收率被檢索者誤以為 0.75 之高回收率一般。Blair 和 Maron 很早就注意到這個問題，他們認為一般檢索者心目中都有其精確率門檻（precision threshold），所以他們通常會要求 50 ％以上的精確率，才不至於浪費太多時間在閱讀不相關的文章上。但由於回收率和精確率成反比，在要求精確率的同時，不可能同時要求回收率，因此很可能造成回收率過低的現象，這種低回收率的情況在小型系統中比較不會構成問題，因為小型系統產生大量不相關文章的機率已經大為降低。但在大型系統中，有時一個單一詞彙就可能會產生上萬筆檢索結果，在要求高回收率的情況下，很可能造成精確率過低的情形。所以 Blair 和 Maron 認為在大型系統中，要求回收率和精確率同時達到 50 ％可能十分困難，尤其是在全文檢索系統上，這個目標更不可能達成，因為人類語言之含混性和複雜性，少有檢索者能夠完全列舉代表同一詞彙的所有概念，因此要達到令人滿意的回收率也就非常困難。（註 51）

從第二期 Cranfield 研究結果公布至今，已經有超過一打以上的研究持續發表相同的結果；也就是說，實驗結果一再證明非常簡單的關鍵字自動索引（即單一詞彙），在資訊檢索上的表現絕對不會比複雜的人工索引方法遜色。一般而言，Cleverdon 和 Salton 的研究結果不斷遭到圖書館界學者的質疑，其中被批評最多的不外乎相關判斷過程所引發的爭議、相關文章被遺漏的數目、及小型實驗系統所得的研究結果推論到真實環境中之大型系統上之客觀性等。前二點質疑已經在第四節中討論過，因此本節不再加以贅述。至於小型系統的研究結果推論到大型系統上所衍生的問題，Salton 曾因此不斷擴大 SMART 資料庫的範圍，Blair 和 Maron 也因之建立其不算小型的資料庫，但他們所得的研究結果仍然十分類似。也就是說，30 多年來，不同的系統、不同的檢索問題、不同的相關判斷，但所得的研究結果卻大致相同，因此上述問題應該已經獲得解答，圖書館界實不應該在信度及效度問題上爭相質疑。換言之，一再重複的實驗結果早已不再令人驚訝，只是不斷提醒人們圖書館界慣用的整理組織資訊的方式必須重新檢討。Salton 認為圖書館界一再排斥類似的研究結果是因為其嚴重損及館員的專業地位，如果自動索引和館員人工分析資料的結果一樣好，那館員（或資訊分析師）的工作是否還有存在的價值？事實上，筆者一直以為，在此資訊時代，能夠成功地做好內容分析工作的行業，就是資訊時代最具生命力的行業。而在資訊內容的分析上，圖書館從業人員可謂責無旁貸，過去整理組織資訊的方法雖然不夠好，但其仍是最有實力發展出最佳整理組織資訊方法之行業。因此，與其繼續質疑第二期 Cranfield 計畫或 SMART 系統之研究結果，不如努力思索不同的整理組織資訊的方式及嶄新的檢索方法，不要死守著傳統的框框而不求變化。事實上，不只是組織整理資訊的方法必須要改，其檢索方法也必須精益求精，因為布林邏輯運算元也可能是檢索效益無法再突破的絆腳石。總體而言，單一詞彙的表現和現今索引語言的表現不相上下應該是一個事實，但這並不否定資訊內容分析的重要性，充其量也只能說明現今分析資訊內容的方式不能滿足讀者的需要，因此產生一種更好的整理組織資訊之方法及思索布林檢索以外之檢索方法，實為圖書資訊界刻不容緩之急事。

附　註

註 1　Louise T. Su, "Evaluation Measures for Interactive Information Retrieval," Information Processing & Management 28:4 (1992), p.503.

註 2　Cyril W. Cleverdon, "The Cranfield Tests on Index Language Devices," Aslib Proceedings 19:6 (1967), pp.173-194.

註 3　G. Salton, "The State of Retrieval System Evaluation," Information Processing & Management 28:4 (1992), pp.441-449.

註 4　Jean Tague-Sutcliffe, "The Pragmatics of Information Retrieval Experimentation, Revisited," Information Processing & Management 28:4 (1992), p.473.

註 5　Ibid.

註 6　William S. Cooper, "A Perspective on the Measurement of Retrieval Effectiveness," Drexel Library Quarterly 14:2 (April 1978), p.33.

註 7　此公式是由 Cooper 在 1978 年所著文章中之文字敘述轉換而成，因此其本文中並未列出此公式。

註 8　Cooper, op. cit., p.36.

註 9　Ibid.

註10　Ibid., p.37.

William S. Cooper, "Expected Search Length: A Single Measure of Retrieval Effectiveness Based on the Weak Ordering Action of Retrieval System," American Documentation 19 (1968), pp.38-41.

註11 William S. Cooper, "On Selecting a Measure of Retrieval Effectiveness. Part I. The 'Subjective' Philosophy of Evaluation," Journal of the American Society for Information Science 24:2 (March/April 1973), pp.87-100.

William S. Cooper, "On Selecting a Measure of Retrieval Effectiveness. Part II. Implementation of the Philosophy," Journal of American Society for Information Science 24:6 (1973), pp.413-424.

註12 Cooper, "On Selecting a Measure of Retrieval Effectiveness. Part I. The 'Subjective' Philosophy of Evaluation," op. cit., p.88.

註13 Ibid., p.91.

註14 Ibid., pp.87-88.

註15 Ibid., p.91.

註16 Ibid.

註17 Ibid., pp.91-92.

註18 Ibid., p.92.

註19 Ibid.

註20 Ibid., p.93.

註21 Ibid., pp.93-94.

註22 Ibid., pp.94-95.

註23 Patrick Wilson, "Some Fundamental Concepts of Information

Retrieval," Drexel Library Quarterly 14:2 (April 1978), pp.10-16.

註24 Cooper, "On Selecting a Measure of Retrieval Effectiveness. Part I. The 'Subjective' Philosophy of Evaluation," op. cit., p.95.

註25 Ibid., p.97.

註26 F. Wilfrid Lancaster, If You Want to Evaluate Your Library... (Champaign, Ill. : Univ. of Illinois Graduate School of Library and Information Science, 1988), p.129.

註27 S. E. Robertson, "The Parametric Description of Retrieval Tests," Journal of Documentation 25:1 (1969), pp.1-27.

註28 Stephen P. Harter, Online Information Retrieval : Concepts, Principles, and Techniques (New York : Academic Press, 1986), p.161.

註29 Su, op. cit., pp.503-516.

註30 Mu-hsuan Huang, "Pausing Behavior of End-users in Online Searching" (Ph.D. diss., University of Maryland, 1992), p.17.

註31 Stephen P. Harter, "The Cranfield II Relevance Assessments: A Critical Evaluation," The Library Quarterly 41:3 (July 1971), pp.229-243.

Don R. Swanson, "Some Unexpected Aspects of the Cranfield Tests of Indexing Performance Factors," The Library Quarterly 41:3 (July 1971), pp.223-228.

註32 Lancaster, op. cit., pp.133-134.

註33 Ibid., p.133.

註34 Cyril W. Cleverdon and J. Mills, "The Testing of Index Language Devices," Aslib Proceedings 15:4 (1963), pp. 106-130.

註35 Cleverdon, op. cit., pp.173-194.

註36 Cyril W. Cleverdon, Report on the First Stage of an Investigation into the Comparative Efficiency of Indexing Systems (Cranfield, 1960).

註37 Cleverdon and Mills, op. cit., pp.106-130.

註38 Cleverdon, "The Cranfield Tests on Index Language Devices," op. cit., pp. 174-179.

註39 Harter, "The Cranfield II Relevance Assessments: A Critical Evaluation," op. cit., pp.229-243.

註40 Swanson, op. cit., pp.223-226.

註41 Cleverdon, "The Cranfield Tests on Index Language Devices," op. cit., p.187.

註42 Ibid., pp.187-192.

註43 Harter, "The Cranfield II Relevance Assessments: A Critical Evaluation," op. cit., pp.229-243.

註44 Swanson, op. cit., pp.227-228.

註45 G. Salton, The SMART Retrieval System : Experiments in Automatic Document Processing (Englewood Cliffs, N.J. : Prentice Hall, 1971).

註46　G. Salton, "The Evaluation of Automatic Retrieval Procedures : Selected Test Results Using the SMART System," American Documentation 16:3 (1965), pp.209-222.

註47　G. Salton and M. E. Lesk, "Computer Evaluation of Indexing and Text Processing," Journal of the ACM 15:1 (1968), pp.8-36.

註48　G. Salton, "A Comparison Between Manual and Automatic Indexing," American Documentation 20:1 (1969), pp.61-71.

G. Salton, "Recent Studies in Automatic Text Analysis and Document Retrieval," Journal of the ACM 20:2 (1973), pp.258-278.

註49　G. Salton, "A Comparison Between Manual and Automatic Indexing," op. cit., pp.61-71.

註50　G. Salton, E. A. Fox, and H. Wu, "Extended Boolean Information Retrieval," Communication of the ACM 26:11 (1983), pp.1022-1036.

註51　D. C. Blair and M. E. Maron, "An Evaluation of Retrieval Effectiveness for a Full-text Document-Retrieval System," Communication of the ACM 28:3 (1985), pp.289-299.

D. C. Blair and M. E. Maron, "Full Text Information Retrieval : Further Analysis and Clarification," Information Processing & Management 26:3 (1990), pp.437-447.

第六章 資訊需求者相關判斷實證分析

在經過前述第三至五章的理論探討之後，本書擬以本土化的實證研究，試圖在半自然的研究環境下，分析資訊需求者相關判斷之本質。本實證研究所採用的方法大致上以定量法爲主，利用一些基本統計來描述相關判斷的特性。整體而言，本研究共有 33 位檢索者，他們總共完成了 41 次檢索和 40 份報告，其中檢索所得書目計有 1557 筆。本章的重點即在分析此 1557 筆書目之相關判斷結果及造成此相關判斷結果之可能成因。本章共分爲四節，第一節分析 41 次檢索之基本特性，第二節討論相關判斷之閱讀欄位及其依據欄位，第三節比較各種相關判斷結果所花費的時間，第四節則探討影響相關判斷結果之可能因素。

第一節 檢索之基本特性分析

本研究共有 33 名檢索者，由於檢索者可能進行不只一次之檢索，因此總計完成 41 次檢索。研究者根據檢索者填答之檢索者背景問卷及檢索問題背景問卷進行統計分析，詳細探討上述 41 次檢索之基本特性。在本研究中，雖說男性實驗對象的人數較女性爲多（21 人：12 人），但是男性檢索者和女性檢索者所完成之檢索次數差異並不大，其中男性完成了 22 次檢索（53.7 %），而女性則完成了 19 次檢索（46.3 %），顯示女性檢索者比較有進行多次檢索的傾向。若以同一檢索者針對同一問題所進行之檢索次數而言，屬於第一次檢索之檢索次數爲 31 次（75.6 %），屬於第二次檢索之檢索次數爲 9 次（22 %），而屬於第三次檢索之檢索次數則僅有一次（2.4 %）。

表 6-1 顯示不同教育程度之檢索者所進行之檢索次數，其中以碩士班學生所進行之檢索次數最多，高達 27 次（65.9 %），博士班研究生次之，共進行 10 次檢索（24.4 %），由大學部學生完成之檢索僅有 2 次（4.9 %），而教師和研究助理則各進行 1 次檢索（2.4 %）。若以學院別分析此 41 次檢索，表 6-2 顯示以工學院檢索者之檢索次數佔最大比例，計有 16 次檢索（39.0 %），文學院次之，計有 13 次檢索（31.7 %），至於農學院之檢索者則完成 7 次檢索（17.1 %），而理學院之檢索者只完成 5 次檢索（12.2 %）。若以系所爲單位進行更深入地分析，表 6-3 顯示圖書館學系所學生所完成之檢索次數最多，總計完成 13 次檢索（31.7 %），其次爲材料工程所之研究生，共完成 8 次檢索（19.5 %），然而除森林系、植病系、心理系、資工系和化工系外，其餘 8 個系所之檢索者均僅進行一次檢索（2.4 %）。由此可知，

表 6-1：不同教育程度檢索者之檢索次數統計表

級　別	檢索次數	百分比（%）	累計百分比（%）
大三、大四	2	4.9	4.9
碩士班	27	65.9	70.7
博士班	10	24.4	95.1
教師	1	2.4	97.6
研究助理	1	2.4	100.0
總　計	41	100.0	

表 6-2：各學院檢索者之檢索次數統計表

學　院	檢索次數	百分比（%）	累計百分比（%）
文學院	13	31.7	31.7
工學院	16	39.0	70.7
農學院	7	17.1	87.8
理學院	5	12.2	100.0
總　計	41	100.0	

檢索次數集中於圖書館學系所及材工所學生之現象依然如故，只是圖書館學系所學生比較有進行多次檢索的傾向。

表 6-3：各學系檢索者之檢索次數統計表

系所別	檢索次數	百分比（%）	累計百分比（%）
圖書館學系	13	31.7	31.7
材工所	8	19.5	51.2
森林系	3	7.3	58.5
植病系	3	7.3	65.8
心理系	2	4.9	70.7
資工系	2	4.9	75.6
化工系	2	4.9	80.5
土木系	1	2.4	82.9
電機系	1	2.4	85.3
機械系	1	2.4	87.7
農化系	1	2.4	90.1
化學系	1	2.4	92.5
環工所	1	2.4	94.9
動物系	1	2.4	97.3
原分所	1	2.4	100.0
總　計	41	100.0	

依檢索次數別，分析各檢索者對各種軟體及檢索工具的熟悉程度。在此 41 次檢索中，其中 23 次檢索之檢索者（56.1%）表示熟悉文書處理軟體，只有 10 次檢索之檢索者（24.4%）表示熟悉試算表軟體，至於熟悉應用軟體及程式設計之檢索者所執行之檢索次數則不多。在各種檢索工具的使用經

驗方面，其中36次檢索（87.8％）之檢索者表示曾使用過光碟資料庫，未曾使用過光碟資料庫之檢索者僅完成5次檢索，而平均使用光碟資料庫之次數則爲7.59次。事實上，本實驗中有二次檢索之檢索者回答其天天使用光碟資料庫，而平均次數的取得則不包含這二位天天使用光碟資料庫之檢索者在內。至於使用線上公用目錄之次數，其中31次檢索（75.6％）之檢索者表示其過去曾使用過線上公用目錄，扣掉3位回答天天使用、2位未填答、及1位回答使用100次之檢索者所完成之2次檢索，平均使用光碟的次數爲11.14次。至於檢索Dialog之次數，只有13次檢索（31.7％）是由過去曾經使用過Dialog系統之檢索者所執行，且其平均使用次數僅爲1.48次。大體而言，在檢索工具的熟悉程度上，上述檢索的執行者最熟悉光碟系統，其次爲線上公用目錄，最後才是Dialog系統，此結果和以檢索者爲單位進行分析所得之結果相當一致。

若以檢索之目的來描述各次檢索，表6-4顯示其中16次檢索（39.0％）之檢索者其目的是爲完成博碩士論文，19次檢索（46.3％）之檢索目的是爲撰寫學期報告，因爲其他目的而進行檢索的次數則不多，其中以自行研究的3次檢索（7.3％）居多，發表學術論文的2次檢索（4.9％）居次，而爲撰寫國科會計畫所進行之檢索則僅有1次（2.4％）。由於因其他目的進行檢索之次數僅有6次，因此在分析相關判斷之結果時，檢索目的將被分爲三大類型探討，分別是撰寫博碩士論文、撰寫學期報告及其他目的。

表 6-4：各次檢索之目的分析表

檢索目的	檢索次數	百分比（%）	累計百分比（%）
博碩士論文	16	39.0	39.0
學期報告	19	46.3	85.4
自行研究	3	7.3	92.7
發表學術論文	2	4.9	97.6
國科會計畫	1	2.4	100.0
總　計	41	100.0	

至於進行檢索或相關判斷時所屬之研究階段，表 6-5 顯示檢索者之研究階段依次為蒐集相關文獻資料（13 次，31.7 %）、確定研究主題焦點（9 次，22 %）、及開始撰寫研究報告（8 次，19.5 %），屬於其他研究階段的檢索次數則較少，其中包括選定研究主題 6 次（14.6 %），計畫構想之初 4 次（9.8 %)及設計研究方法與步驟 1 次（2.4 %)。為方便比較相關判斷的結果，特將研究階段粗分為早期和晚期二個階段，其中早期之研究階段包括計畫構想之初、選定研究主題、確定研究主題焦點及設計研究方法與步驟等四個階段，而晚期階段則僅包括蒐集相關文獻資料及開始撰寫研究報告等二個階段。經由上述二階段之劃分，可測試愈接近研究完成時之相關判斷結果，是否愈接近資訊需求者最後選

用之書目，藉此尋求相關動態本質中之規律性。

表 6-5：檢索時或相關判斷時之研究階段分析表

研究階段	檢索次數	百分比（％）	累計百分比（％）
計畫構想之初	4	9.8	9.8
選定研究主題	6	14.6	24.4
確定研究主題焦點	9	22.0	46.3
設計研究方法與步驟	1	2.4	48.8
蒐集相關文獻資料	13	31.7	80.5
開始撰寫研究報告	8	19.5	100.0
總計	41	100.0	

至於檢索時已掌握之相關資料筆數，表 6-6 顯示 36.3 ％之檢索其檢索者所掌握之資料筆數在 10 筆之內（不包含 10 筆），而有接近 5 成（ 50.9 ％）檢索之檢索者掌握之資料筆數在 20 筆之內（不包含 20 筆），由此可知大部分資訊需求者所掌握的相關資料筆數並不算太多。由原始數據可發現，事前擁有 50 筆相關資料的檢索次數多達 3 次，且其中有 1 位檢索者事前掌握 100 篇左右之相關資料，因此掌握相關資料筆數之平均值高達 20.58 筆，而完全未掌握任何相關資料之檢索者所完成之檢索亦有 3 件之多（ 7.3 ％）。值得一提的是，此變數之標準差高達 24.6 ，較其平均值高出一些，由此可更進一步證實其原始數據之高低起伏甚大。

表 6-6 檢索前所掌握之相關資料筆數分析表

已掌握之資料筆數	檢索次數	百分比（%）	累計百分比（%）
0-9	15	36.3	36.3
10-19	6	14.6	50.9
20-29	8	19.5	70.4
30-39	2	4.9	75.3
40-49	4	9.8	85.1
50 以上	3	7.3	92.3
未填答	3	7.3	100.0
總　計	41	100	

至於掌握上述資料所利用的管道，半數以上檢索之檢索者曾使用過光碟資料庫（ 58.5 ％），而其他管道的使用率均未過半，其中包含使用圖書館期刊（ 24.4 ％）、使用圖書館圖書資源（ 12.2 ％）、使用線上公用目錄（ 9.8 ％）、使用校外圖書館館藏（ 9.8 ％）、使用網際網路（ Internet ）資源（ 7.3 ％）、使用 FirstSearch （ 2.4 ％）及使用 Dialog 系統（ 2.4 ％）等，而紙本之索引與摘要工具則乏人問津。

至於進行此次檢索之準備時間，表 6-7 顯示大部分爲 1 至 15 分鐘，計有 18 次檢索（ 43.9 ％）；其次爲 16 分至 30 分，計有 11 次（ 26.8 ％）；另有 4 次檢索之檢索者表示毫無準備（ 9.8 ％），而準備時間超過半小時者亦有 7 次之多（ 17.1 ％）。此外，由於一般咸認爲檢索者在檢索前認爲其

表 6-7：檢索前之準備時間分析表

準備時間	檢索次數	百分比（％）	累計百分比（％）
沒有準備	4	9.8	9.8
1-15 分	18	43.9	53.7
16-30 分	11	26.8	80.5
31-45 分	1	2.4	82.9
45-60 分	3	7.3	90.2
超過 1 小時	3	7.3	97.5
未填答	1	2.4	100.0
總　計	41	100.0	

所需要之相關文章篇數、對檢索主題之熟悉程度、估計相關文章儲存於系統中之可能性、及預期找到相關文章的可能性等，都會影響相關判斷的結果，因此有必要對上述變數一一進行描述。在讀者認爲撰寫報告所需之相關文章篇數上，最多者認爲需要 100 篇，最少者亦有 5 篇，其平均篇數爲 27.93，標準差雖低於平均值，但其值仍高達 21.37。將原始數據進行分組次數分配，表 6-8 顯示讀者認爲撰寫報告所需的相關文章篇數，其中超過一半（53.6％）之檢索其檢索者要求的相關文章篇數在 30 篇以內，而 70.6％之檢索其檢索者則要求 40 篇以內。在對檢索主題之熟悉程度上，半數以上檢索之檢索者表示熟悉此主題（53.6％）；而在相關文章儲存於系統的可能性上，48.8％的比例表示非常有可能，

表 6-8：資訊需求者認為所需之相關文章篇數統計表

文獻篇數	檢索次數	百分比（％）	累計百分比（％）
0-9	1	2.4	2.4
10-19	16	39.0	41.4
20-29	5	12.2	53.6
30-39	7	17.0	70.6
40-49	5	12.2	82.8
50-59	4	9.8	92.6
60 以上	2	4.9	97.5
未填答	1	2.4	100.0
總　計	41	100.0	

29.3％的比例表示有可能，顯示檢索者對系統的可靠性普遍覺得樂觀。至於認爲自己可以找到這些資料之可能性，計有16次檢索之檢索者（39.0％）表示非常有可能，15次檢索之檢索者（36.6％）表示可能，並無表示不可能者，此結果充分顯示檢索者在檢索前均對該次檢索抱持肯定的態度。

前文曾經提及，在此41次檢索中，總共產生1557筆書目，其中最少的一次檢索產生4筆書目，而最多的一次檢索則產生137筆書目。大體而言，每次檢索平均產生37.98筆書目，其標準差爲29.92。表6-9將原始數據進行分組次數分配，顯示半數檢索（51.2％）所得之文章筆數在30篇以內（不含30篇），而檢索書目在60篇以內（不含60篇）

則佔 85.4 %，其中超過 100 篇書目的檢索亦有 3 次之多（ 7.3 %）。由此可知，檢索所得之書目筆數差異甚大，此現象可能和檢索者的檢索主題及檢索技巧有很大的關聯，應該是終端使用者自行檢索之正常現象。

表 6-9：各次檢索所得書目筆數分析表

檢索書目總數	檢索次數	百分比（%）	累計百分比（%）
0-9	3	7.3	7.3
10-19	10	24.4	31.7
20-29	8	19.5	51.2
30-39	6	14.6	65.9
40-49	3	7.2	73.2
50-59	5	12.2	85.4
60-69	1	2.4	87.8
70-79	2	4.8	92.7
100+	3	7.3	100.0
總　計	41	100.0	

本書的理論部分曾提及最常用來評估檢索之測量值爲相關導向之回收率與精確率，因此若想探知本研究中檢索之品質，由於無法得知資料庫中相關文章的數目，所以最直接的方式可能是由其精確率推知。一般而言，此 41 次檢索之精確率相當高，其平均值爲 0.65 ，標準差爲 0.04 ，其中精確率之最低值爲 0.24 ，僅發生一次，而完全精確率（ 100 %）則高達三次之多，佔整體之 7.3 %。表 6-10 顯示絕大多

數（61％）檢索之精確率都高於0.6，其中精確率介於0.6至0.69間的有7次檢索（17.1％），介於0.7至0.79間的有8次（19.5％），介於0.8至0.89間的僅有1次（2.4％），但精確率高於0.9之檢索則高達9次（22.0％）之多。如果以50％為精確率之門檻（註 1），這些僅受過半小時訓練的檢索者，其表現應算是相當突出，顯示終端使用者只要接受過簡單訓練，即可成功地完成線上檢索。

表6-10：各次檢索之精確率分析表

精確率	檢索次數	百分比（％）	累計百分比（％）
0.2-0.29	4	9.8	9.8
0.3-0.39	5	12.2	22.0
0.4-0.49	1	2.4	24.4
0.5-0.59	6	14.6	39.0
0.6-0.69	7	17.1	56.1
0.7-0.79	8	19.5	75.6
0.8-0.89	1	2.4	78.0
0.9+	9	22.0	100.0
總　計	41	100.0	

第二節　相關判斷之結果分析

相關判斷之尺度對相關判斷的結果影響甚鉅。一般而言，相關判斷之尺度至少可分爲二個評級，即所謂二元式測量尺度，判斷者的回答被限制於「相關」或「不相關」二種不同答案中。由於當測量之評級較少時，判斷者比較不容易下判斷，因此本研究採取四段式測量尺度，也就是說，判斷者的判斷結果可以是「非常相關」、「相關」、「部分相關」及「不相關」四種，其中以「非常相關」之評級最高，「相關」的評級次之，「部分相關」再次之，而「不相關」則爲最低之評級。因此，本研究 41 次檢索所產生之 1557 筆書目，如果依二元式測量尺度劃分，其中相關的資料筆數爲 938 篇，佔 60.3 %，而不相關的資料筆數爲 619 篇，佔 39.7 %。換言之，約有 6 成的檢索所得書目被資訊需求者視爲相關書目，而僅 4 成的書目被判斷爲不相關書目。正因爲超過 6 成的檢出書目被判斷爲相關，因此檢索結果還算差強人意。若以每次檢索所得的相關書目分析相關判斷的結果，表 6-11 顯示接近一半（ 48.8 %）的檢索其所得之相關書目在 20 篇以內（不含 20 篇），在 30 篇以內（不含 30 篇）則高達 6 成（ 63.2 %），而在 40 篇以內（不含 40 篇）則高達八成五（ 85.4 %）。事實上，在單次檢索中，平均每次檢索約可檢出 22.88 篇相關書目，其中最少的一次檢索僅檢出 3 篇相關書目，最多的一次檢索則檢出 65 篇相關書目，其間的差距高達 62 篇之多。

若以四段式評量尺度來看相關判斷的結果，表 6-12 顯示，被視爲相關書目的 938 篇書目中，可更進一步劃分爲

表 6-11 ：各次檢索檢出之相關書目筆數表

相關書目筆數	檢索次數	百分比（％）	累計百分比（％）
0-9	9	22.0	22.0
10-19	11	26.8	48.8
20-29	6	14.6	63.2
30-39	9	22.0	85.4
40-49	4	9.8	95.2
50+	2	4.9	100.0
總　計	41	100.0	

表 6-12 ：檢索書目之相關判斷結果分布表

相關判斷	篇數	百分比（％）	累計百分比（％）
非常相關	219	14.1	14.1
相關	329	21.1	35.2
部分相關	390	25.1	60.3
不相關	619	39.7	100.0
總　計	1557	100.0	

「非常相關」之 219 篇書目（ 14.1 ％），「相關」之 329 篇書目（ 21.1 ％）及「部分相關」之 390 篇書目（ 25.1 ％）。由此可知，資訊需求者判斷成「非常相關」的文章並不多，不到 15 ％；而不論是被判斷成「相關」或「部分相關」的書目筆數，都較其至少高出百篇以上。也許正因爲被判斷成

「非常相關」之書目不多，因此檢出書目之被引用率才會只有 6.2 %。

其次探討資訊需求者進行相關判斷時曾經瀏覽過之欄位。一般而言，對讀者較具意義之書目紀錄欄位包括題名、作者、摘要、敘述語及資料來源（ source ）等五種欄位，因此本研究即根據此 5 種欄位進行分析。表 6-13 顯示資訊需求者在進行相關判斷時，其最常瀏覽之欄位爲題名，在 1557 筆書目資料中，資訊需求者瀏覽過 1532 次題名（ 98.4 %），僅有 25 筆資料（ 1.6 %）之題名未被瀏覽。排名第二的摘要欄位，其被瀏覽的比率明顯下降很多，資訊需求者僅瀏覽過 597 筆摘要（ 38.3 %），遠較未曾瀏覽之摘要筆數（ 960 筆， 61.7 %）爲低。而排名第三的則爲資料來源欄位，其被瀏覽過 401 次（ 25.8 %），幾乎是每四個來源欄位中，只有一次被資訊需求者青睞的機會。至於作者欄位和敘述語欄位，其被瀏覽的比率相當接近，都屬於較少被瀏覽之欄位，其中作者欄位曾被瀏覽過 236 次（ 15.2 %）而敘述語欄位則僅被瀏覽 227 次（ 14.6 %）。由此可知，資訊需求者在進行相關判斷時，最常瀏覽題名欄位，其次是摘要欄位，此結果與黃雪玲所得之研究結果大致相仿（註 2）。

至於相關判斷依據之欄位，由於研究者懷疑關鍵字可能爲資訊需求者在相關判斷時之重要依據，因此特別在上述欄位中加入此一欄位進行分析。表 6-14 顯示資訊需求者在相關判斷時所依據之欄位，發現大部分資訊需求者皆以題名

表 6-13：相關判斷瀏覽欄位分析表

瀏覽欄位	使用次數	百分比（%）	未曾使用次數	百分比（%）
題名	1532	98.4	25	1.6
摘要	597	38.3	960	61.7
資料來源	401	25.8	1156	74.2
作者	236	15.2	1321	84.8
敘述語	227	14.6	1330	85.4

表 6-14：相關判斷依據欄位分析表

依據欄位	使用次數	百分比（%）	未曾使用次數	百分比（%）
題名	1130	72.6	427	27.4
摘要	479	30.8	1078	69.2
敘述語	156	10.0	1401	90.0
資料來源	24	1.5	1533	98.5
作者	22	1.4	1535	98.6
關鍵字	2	0.1	1555	99.9

爲相關判斷之主要依據，其次數高達 1130 次，比率爲 72.6 %。排名第二的爲摘要欄位，計有 479 次（ 30.8 %）之相關判斷是依賴摘要欄位所提供之資訊進行。排名第三的則是敘述語欄位，其使用次數也有 156 次之多，約佔 10 %。至於資料來源和作者，較少資訊需求者據此欄位進行相關判斷，分別被使用 24 次（ 1.5 %） 和 22 次（ 1.4 %）。而研究者

所懷疑之關鍵字，更少被視爲相關判斷之依據，其總計僅被使用過 2 次（ 0.1 ％），比例低得微不足道。事實上，由於題名和摘要中富含關鍵字，因此將關鍵字獨立成類似乎是畫蛇添足之舉。總體而言，資訊需求者據以判斷相關之欄位其使用次數依序爲題名、摘要、敘述語、資料來源、及作者，此結果與黃雪玲實證研究所得之結果完全一致。（註 3）

將表 6-13 和 6-14 進一步加以比較可發現，雖然超過 98 ％的資訊需求者曾瀏覽過題名，但只有 72.6 ％之資訊需求者實際依此欄位進行相關判斷，由此可知題名所提供之資訊可能過於簡單，不足以完全勝任相關判斷之工作。不過，由題名被瀏覽次數之高，可推知題名往往爲資訊需求者進行相關判斷時之首要選擇。而摘要欄位之瀏覽次數爲 597 次（ 38.3 ％），作爲判斷依據之次數亦高達 479 次（ 30.8 ％），此現象顯示出一旦資訊需求者選擇閱讀摘要欄位，有很高的比例會據此欄位做出相關判斷；也就是說，當題名資訊不足時，摘要往往是補充相關判斷所需資訊之最好來源。至於敘述語，其被瀏覽的次數爲 227 次（ 14.6 ％），作爲相關判斷之依據亦有 156 次（ 10.0 ％），透露出敘述語在相關判斷時實有其一定的份量。至於資料來源欄位，資訊需求者雖有四分之一的機率瀏覽此欄位，但其真正在相關判斷時發揮功能的情況只有 24 次（ 1.5 ％）；而作者欄位亦有相同的現象，其被瀏覽過 236 次（ 15.2 ％），但真正用來進行相關判斷時，僅被使用 22 次（ 1.4 ％）。由此可知，除了少數對主題領域十分熟悉之資訊需求者外，會依據作者和來源欄位做出相關判斷者實在不多。若比較本研究和黃雪玲研究之結果，可發現在黃雪玲的研究中，並無資訊需求者以作者欄位為相關判斷之依據，而以來源欄位判斷相關的比率也較低（0.4％）（註 4），不過由於量上的差異並不算太大，很可能是不同樣本所產生的自然差異。

第三節　相關判斷所花費之時間分析

除了相關判斷的結果、相關判斷所閱讀之欄位及其依據之欄位外，資訊需求者進行相關判斷時所花費的時間，也是非常值得研究的主題。本研究之實證結果顯示，在 1557 筆檢出書目中，資訊需求者平均需要 17.81 秒才能完成一次相關判斷，其標準差為 21.50 秒，而此高於平均值之標準差顯示相關判斷所費時間之個別差異相當大。一般而言，最短的一次相關判斷歷時 0.85 秒，最長的一次相關判斷則歷時 334.01 秒（超過 5 分半鐘），其中短於 5 秒的相關判斷有 218 次（14％），長於 100 秒之相關判斷也有 32 次之多（2.1％）。表 6-15 顯示相關判斷所花費時間之分組次數分配，清楚顯示 96％的相關判斷都可在 50 秒內（不含 50 秒）完成，超過 50 秒的相關判斷僅佔 4％，其中在 50 秒和 100 秒（不含 100 秒）間的相關判斷有 30 次（1.9％），介於 100 秒至 150 秒（不含 150 秒）間的則有 27 次（1.7％），歷時超過

150 秒之相關判斷仍有 5 次（ 0.4 ％）之多。事實上，表 6-15 充分透露出相關判斷所費時間為一右偏分布（ positive skewed distribution ），意即大部分數據皆集中於數值較低區域之統計圖形。

表 6-15 ：相關判斷所費時間分析表

時間分布（秒）	篇　數	百分比（％）	累計百分比（％）
0-49	**1495**	**96.0**	**96.0**
0-4	218	14.0	14.0
0	0	0.0	
1	18	1.2	
2	51	3.3	
3	64	4.1	
4	85	5.5	
5-9	412	26.5	40.5
5	97	6.2	
6	92	5.9	
7	84	5.4	
8	71	4.6	
9	68	4.4	
10-14	284	18.2	58.7
10	79	5.1	
11	49	3.1	
12	53	3.4	
13	53	3.4	

表 6-15：相關判斷所費時間分析表（續一）

時間分布（秒）	篇　數	百分比（%）	累計百分比（%）
14	50	3.2	
15-19	164	10.5	69.2
15	29	1.9	
16	32	2.1	
17	35	2.2	
18	32	2.1	
19	36	2.3	
20-24	146	9.4	78.6
20	28	1.8	
21	31	2.0	
22	33	2.1	
23	35	2.2	
24	19	1.2	
25-29	85	5.5	84.1
25	19	1.2	
26	22	1.4	
27	13	0.8	
28	14	0.9	
29	17	1.1	
30-34	73	4.7	88.8
35-39	60	3.9	92.6
40-44	34	2.2	94.8

表 6-15：相關判斷所費時間分析表（續二）

時間分布（秒）	篇　數	百分比（%）	累計百分比（%）
45-49	19	1.2	96.0
50-99	**30**	**1.9**	**97.9**
100-149	**27**	**1.7**	**99.6**
150-	**5**	**0.4**	**100.0**
總　計	1557	100.0	

若將本研究實驗對象之相關判斷所費時間，與黃雪玲碩士論文中所得的實證結果做一比較，可發現本研究之相關判斷時間明顯偏短。在黃雪玲的研究中，資訊需求者完成一次相關判斷之平均時間為 29.11 秒(註 5)，較本研究中之 17.81 秒長 11.3 秒；換言之，公衛學院之資訊需求者完成一次相關判斷所花費的時間為本研究中之 1.63 倍。若將其與公衛學院次判斷者平均所花費的 47.48 秒和圖館次判斷者所花費之 63.26 秒比較（註 6），本研究所得之相關判斷時間顯得更為精短。一般而言，次判斷者由於對主題和文獻較不熟悉，因此完成一次相關判斷的時間較長是相當合理的推論；但同為資訊需求者，為何二研究所得之數據有如此大的差異，這是非常值得深入研究的現象。

至於判斷相關文章和不相關文章所花費的時間是否有所差異，也是一個非常有趣的議題。若以二元式測量尺度進行相關判斷，表 6-16 顯示判斷相關文章和不相關文章所需花費的時間，其中判斷一篇相關文章所需時間爲 19.37 秒，較不相關文章之 15.45 秒爲長，此差異到達統計上千分之一之顯著水準。值得一提的是，二組之標準差均較其平均值爲高，表示不論判斷結果爲相關與否，相關判斷所耗時間之個別差異相當大。一般而言，猶豫的判斷耗時較長，而二元式的測量尺度將「部分相關」及「相關」等較爲模稜兩可的判斷包含於「相關」尺度中，因此判斷相關文章所花費的時間自然較長。

表 6-16：判斷相關文章與不相關文章所需時間比較表

組別	文章篇數	判斷時間	標準差	t 值	p 值
相關文章	938	19.37	23.17	3.70	.000 ***
不相關文章	619	15.45	18.49		

註：***表示到達統計上 0.001 之顯著差異

爲證明猶豫之相關判斷耗時較長，特將相關判斷之尺度由二元式擴大成四段式。表 6-17 顯示，判斷「非常相關」文章和「不相關」文章所花費的時間較短，分別是 15.44 秒和 15.45 秒，幾乎是沒有差異；而判斷「相關」文章所需時間爲 17.78 秒，明顯較上述二種判斷耗時爲長；至於最爲含糊的「部分相關」文章，由於其模糊猶豫的本質，所需的判斷時間最長，爲 22.92 秒。在此四組相關判斷結果中，其標準差都較平均值爲高，再度證實相關判斷耗費時間之個別差異相當大。同時，表 6-17 指出上述差異到達統計上千分之一之顯著水準，根據 Tukey 法進行事後比較，可發現所有的差異均來自和「部分相關」組別間的差異，也就是說，判斷「部分相關」書目所花費的時間遠較判斷「相關」、「非常相關」及「不相關」書目所花費的時間爲長。

表 6-17：判斷「非常相關」、「相關」、「部分相關」及「不相關」文章所需時間比較表

組別	文章篇數	判斷時間	標準差	F 值	p 值
非常相關	219	15.44	18.68	10.91	.000***
相關	329	17.78	25.37		
部分相關	390	22.92	23.06		
不相關	619	15.45	18.49		

註：***表示到達統計上 0.001 之顯著差異

大體而言，相關判斷所花費的時間，其個別差異相當大，資訊需求者可以在一秒鐘內完成相關判斷，也可以花上 5 分半鐘進行一次相關判斷。再者，單純的相關判斷耗時較短，因此不管是判斷成「非常相關」或「不相關」的文章，

所花費的時間都較短；而需要斟酌考慮的判斷則需要較長的時間。因此，含糊猶豫性最高的「部分相關」，由於其介於「相關」與「不相關」之邊際，需要時間思考才能做出決策，所以花費在相關判斷的時間也因之最長。

第四節 影響相關判斷之因素探討

自有相關研究開始，學者即致力於研究可能影響相關判斷結果之因素，企圖更深入了解相關判斷之本質及發展出相關判斷之預測模式。而相關概念由早期之「主題相關」，歷經「邏輯相關」及「情境相關」，進而演變至「心理相關」，充分顯示出影響相關判斷的因素早已邁向「情境」與「動態」之典範。雖說在解釋和預測相關判斷的結果上，情境因素比超越情境因素來得成功，但本節還是分別簡述學者在超越情境特質和情境特質二方面之研究成果。

利用超越情境特質（cross-situational traits），例如性別、種族、年齡等變數來描述人類行爲，已經有相當長的歷史，此種描述乃基於這些特質在時空中的不變性，亦即假設具有某些特質的個人，即使是面對不同的情境，也應該表現出相同的行爲。舉例來說，外向的山地女性原住民對某篇文獻之相關判斷結果應該是一致的，不管她們所面對的情境是否相同。

事實上，研究溝通的學者，從數百年前就開始利用個人特質來預測資訊使用和人際間的溝通行爲。一般而言，個人特質可分爲人口統計上的特質和純粹的個人特質。人口統計上的特質可以反應個人的生活狀態，比如教育程度、收入、社會經濟地位、年齡和族群等，這些特質通常都非常容易測量。至於純粹個人特質，則是指影響個人行爲之穩定性與一致性的個人特質，例如人格、智商、認知特性、學習模式、語言能力或邏輯能力等，而這些純粹個人特質通常必須藉著標準測試來測量。

雖說人格特質只是個人特質之一部分，但大部分的文章都僅止於討論人格特質和人口統計上的特質，比較少去探討其他個人特質的影響程度。這可能是由於一般研究者都認爲人格特質是影響人類行爲的最主要因素，正因其普遍性及高接受程度，因此先行探討人格特質對個人行爲的影響。大體而言，有關人格特質和個人行爲方面的研究，由於缺乏一般性的理論，因此很多結果都互相矛盾。Dervin 和 Nilan 曾對此現象做過最好的結論，他們認爲不管測量人格的標準測試如何進步，人格特質在預測個人於不同情境中所表現的行爲模式上，其所能解釋變量的百分比永遠不會超過 10％。（註7）

在預測人類行爲及決策上，人口統計特質的表現通常較人格特質爲佳。很多研究都顯示，教育程度較高、社會階層較高且收入較高的人，比較可能去使用資訊系統。（註 8）但人口統計特質在預測資訊尋求上的效果仍然不夠理想，和人格特質一樣，人口統計特質也因欠缺一般性的理論，導致其研究結果經常互相矛盾。至於個人特質，很多研究顯示其同樣不能預測資訊尋求行爲。Bellardo發現智力高低並不會影響線上檢索結果的好壞。（註 9）而 Saracevic 和 Kantor 則發現抽象推理和邏輯推理分數較高的人，他們在許多相關測量上的表現，與抽象推理和邏輯推理分數較低的人並無顯著差異。（註 10）

用超越情境的特質來預測人類行爲，就像上文提及的人格特質和人口統計特質一樣，在大部分的情境下都無法發揮其作用，但在某些時候卻又相當成功。Grunig 明白指出，人格特質和人口統計特質如果能夠成功地預測人類行爲，那是因爲具有相同人口統計特質或人格特質的人剛好處於相同的情境上，是相同的情境導致他們相同的行爲或決策，而非相同的人格或人口統計特質。（註 11）正因如此，研究者逐漸有共同的認知，如果要成功地預測相關判斷之結果，其研究的重點必須從超越情境的觀點轉移至情境的觀點。

相關判斷的結果和檢索者所處的情境既有相當大的關聯，因此利用情境變數來預測相關判斷的結果，其成功率往往較超越時間空間（ across-time-and-space ）之非情境變數爲佳。一般而言，情境變數都會隨著情境之不同而產生變化，其中較常使用的包括興趣、參與程度、在情境中對阻礙的認識、在情境中對問題的認知、對問題解答的認知（沒有資訊或是太多資訊等）、組織設備（ organizational setting ）

上的變數、態度和認知上的差異、以及工作相關（ task-related ）變數等。正因如此，本研究之實證部分並不打算研究超越情境特質對相關判斷的影響，如性別、學院別及系別等，而將研究的方向擺在情境變數和相關判斷結果的關聯上。

在本研究中，可將檢索者判斷爲相關之文章筆數視爲相關判斷的結果，但由於檢出書目較多，相關資料筆數很可能隨之增多，因此特別將相關文章筆數除以檢出資料筆數，也就是說，將相關資料筆數予以常態化，以求結果更爲公正客觀。然而，將相關資料筆數除以檢出之文章筆數，所得之值即爲一般通稱之精確率；換言之，本節將討論各種情境變數和各次檢索檢出之相關資料筆數及精確率的關係，企圖瞭解影響相關判斷結果之因素及其可能的影響層面。

大致而言，檢索者之電腦經驗及資訊檢索經驗、其對檢索主題之熟悉程度、檢索準備時間、檢索前所擁有之相關文章筆數、所需相關文章筆數、預測相關文章存在的可能性、及找到這些相關文章的機率等變數，皆被視爲影響相關判斷結果及精確率之情境變數。表 6-18 以相關係數顯示出相關判斷結果及精確率與上述變數間的關係，其中有關使用電腦的經驗與資訊檢索的經驗，和相關判斷的結果皆無太大關聯。惟一例外的是，對「其他應用軟體之熟悉程度」與判斷相關之文章篇數，其間之相關係數高達 0.4160（到達統計上 0.01 之顯著差異），但由於此變數與其他電腦經驗間並無交

表 6-18：相關判斷結果與情境變數間之相關係數表

相關判斷結果 / 情境變數	判斷相關文章篇數	精確率
◆文書處理之熟悉程度	0.0456	-0.0574
◆試算紙軟體之熟悉程度	0.0223	-0.3633
◆其他應用軟體之熟悉程度	0.4160**	0.1394
◆程式設計之熟悉程度	0.2056	-0.0754
◆使用光碟資料庫次數	-0.1402	0.3909**
◆使用 Dialog 系統次數	0.0476	0.3021
◆使用線上公用目錄次數	-0.0411	0.4677**
◆已掌握之資料筆數	0.1357	0.2258
◆所需相關文章筆數	0.1163	0.1530
◆檢索準備時間	-0.0733	0.1815
◆檢索主題之熟悉程度	-0.0794	-0.1552
◆相關文章存在之可能性	0.3274	0.2200
◆找到相關文章之可能性	0.2364	0.1803

註：**表示到達統計上 0.01 之顯著差異

集，因此意義並不大。至於精確率，雖然與電腦經驗間並沒有太大關係，但其和各種檢索經驗之相關係數皆高達 3 成以上，表 6-18 指出精確率和公用目錄使用次數間之相關係數爲 0.4677（到達統計上 0.01 之顯著差異），和光碟檢索次數間之相關係數爲 0.3909（亦到達統計上 0.01 之顯著差異），且其和 Dialog 使用次數的相關係數亦達 0.3021。然而，不管是相關判斷的結果或是精確率，其與檢索主題之熟悉程度、檢索準備時間、檢索前所擁有之相關文章筆數、所需相關文章筆數、預測相關文章存在的可能性、及找到這些相關文章的機率等情境變數間之關聯皆不大。也就是說，本研究發現除使用資訊檢索系統（如 Dialog 檢索系統、光碟檢索系統和線上公用目錄等）之經驗會影響到精確率外，其餘變數對精確率和相關判斷結果之影響均不大；換言之，研究結果無法證實當檢索者處於對檢索主題較為熟悉、掌握較多相關文章、需要較多相關文章、或是自信可以找到較多文章之情境時，會有判斷出較多相關文章或是完成較佳檢索的傾向（可由其高精確率間接推知）。造成此現象的原因，有可能是本研究之實驗對象未經過隨機取樣所造成的自然結果，更有可能是由於相關判斷動態及變化的本質所造成，因為每二次相關判斷間，很多情境變數的值都已發生實質變化。舉例而言，一次檢索最多包含 137 次相關判斷，在漫長的判斷過程中，檢索者對此主題的熟悉程度及其他情境變數均隨時產生變化，正因為無法即時掌握檢索者所處情境之變化，因此無法正確得知這些變數對相關判斷結果及精確率之實質影響。

雖說研究結果顯示上述變數對相關判斷結果及精確率之影響並不大，但從相關係數的高低可以明確看出，各種電腦經驗、各種檢索經驗、及某些其他情境變數間各自存在相當大的關聯性，顯示這些變因可以被分為三組。表 6-19 描述此三組變數間之相關係數，發現在電腦相關經驗方面：文書處理經驗與試算表經驗間之相關係數為 0.4511（到達統計上 0.01 之顯著差異），其與其他應用軟體間之相關係數為 0.5249（到達統計上 0.001 之顯著差異），而與程式設計熟悉度間之相關係數則為 0.6138（到達統計上 0.001 之顯著差異）。而同屬於各種檢索經驗之第二組變數，其間之相關係數亦相當高，其中線上公用目錄之使用經驗與 Dialog 系統之使用經驗間之相關係數為 0.4242（到達統計上 0.01 之顯著差異），而其與光碟資料庫檢索間之相關係數更高達 0.8094（到達統計上 0.001 之顯著差異）。至於第三組變數，其中包含四個較為相關之其他情境變數，分別是已掌握之相關資料筆數、所需相關文章筆數、相關文章存在之可能性、及找到相關文章之可能性等四個變數。其中已掌握之相關文章筆數和所需相關文章筆數間之相關係數高達 0.5395（到達統計上 0.001 之顯著差異），而找到相關文章之可能性，也和已掌握之相關文章筆數及找到這些文獻之可能性高度相關，其與前者之相關係數為 0.3934（到達統計上 0.01 之顯著差異），與後者之相關係數更高達 0.8087（到達統計上 0.001 之顯著差異）。或許正由於上述三組變數間，其組內之變數高度相關，象徵著本研究所探討之變數其重複性相當高，互相成為混淆變數（confounding variables）之機率很大，因此可能有一些真正影響相關判斷結果及精確率的變數並未包含於本研究中。

表 6-19：三組變數之相關係數表

第一組變數	
相關係數 變數 / 變數	文書處理經驗
試算表軟體經驗	0.4511 **
其他應用軟體經驗	0.5249 ***
程式設計之熟悉程度	0.6138 ***
第二組變數	
相關係數 變數 / 變數	線上公用目錄經驗
Dialog 檢索經驗	0.4242 **
光碟檢索經驗	0.8094 ***
第三組變數（第一部分）	
相關係數 變數 / 變數	已掌握之資料筆數
所需相關文章筆數	0.5395 **
第三組變數（第二部分）	
相關係數 變數 / 變數	找到相關文章之可能性
已掌握之資料數	0.3934 **
找到相關文章之可能性	0.8087 ***

註：** 表示到達統計上 0.01 之顯著差異
***表示到達統計上 0.001 之顯著差異

除上述變數外，還有二個情境變數尚未進行討論，分別是研究目的和研究階段。根據第一節中所做之決定，檢索目的將被簡化成三大類，分別是撰寫博碩士論文、撰寫學期報告、及自行研究等三種目的；而檢索階段則更進一步簡化爲前期階段（包括計畫構想之初、選定研究主題、確定研究主題的焦點、及設計研究方法與步驟等四個階段）和後期階段（包括蒐集相關文獻資料及開始撰寫研究報告等二個階段）。在探討這二個變數時，其獨立變數仍然爲相關判斷的結果及精確率，表 6-20 及 6-21 分別以變異數分析表及 t 檢定表顯示上述獨立變數與研究目的和研究階段間的關係。由表 6-20 可得知，自行研究之資訊需求者傾向判斷出較多相關文章（平均值是 31.83 篇），撰寫博碩士論文者次之（平均值是 25.19 篇），而撰寫學期報告者所判斷出之相關文章筆數最少（平均值 18.11 篇），但此差異並未到達統計上之顯著差異。至於精確率方面，研究目的所造成的差異更小，不過排名順序卻完全相反，以撰寫學期報告之檢索，其精確率最高（精確率平均值爲 0.68)，其次爲博碩士論文（精確率平均值爲 0.65 ），而自行研究之檢索其精確率最低（平均值爲 0.54)。由此可知，當資訊需求者判斷出較多相關文章時，其檢索之精確率反而較低，此現象很可能是由於當檢出文章較多時，雖然被判斷爲相關之文章筆數也因之較多，但由於撰寫學術論文及學位論文的態度較一般學期報告嚴謹，因此也判斷出較多不相關文章，所以佔所有檢出文章的比率反而較低。

表 6-20：研究目的對相關判斷結果及精確率之變異數分析表

	平均值	標準差	F值	p值
變數一：相關文章筆數				
博碩士論文	25.19	16.73	2.13	0.13
學期報告	18.11	13.15		
其他自行研究	31.83	17.81		
變數二：精確率				
博碩士論文	0.65	0.18	0.83	0.44
學期報告	0.68	0.27		
其他自行研究	0.54	0.20		

表 6-21：研究階段對相關判斷結果及精確率之t檢定表

	平均值	標準差	t值	p值
變數一：相關文章筆數				
前期階段	23.05	15.10	0.07	0.946
後期階段	22.71	16.67		
變數二：精確率				
前期階段	0.69	0.23	1.22	2.30
後期階段	0.60	0.22		

至於研究階段對相關判斷結果與精確率的影響，表 6-21 顯示，資訊需求者在前期研究階段和後期研究階段，其所判斷出之相關文章筆數幾乎沒有差異（平均值分別是 23.05 篇和 22.71 篇）；但在精確率方面，檢索者在前期階段中所進行之檢索，其精確率明顯偏高（0.69），而後期階段之精確率則較低（0.60），此差異雖未到達統計上之顯著差異，但仍透露出相當意義：由於早期階段之檢索主題較不確定，研究焦點也可能轉移，因此比較容易將檢索結果判斷為相關，精確率也因之較高。事實上，黃雪玲在其碩士論文中發現，圖館次判斷者因為不具備學科背景，無法深入了解檢索問題，容易給予文獻較高的相關評級（亦即傾向將文獻判斷成相關）（註 12），此結果和上述現象有異曲同工之妙。換言之，處於不確定的狀況下，判斷者通常傾向鬆散的相關判斷，也就是說，在模稜兩可的情況下，檢索者通常會將文獻判斷為相關，因此，上述研究結果與 Rees 和 Schultz（註 13）及 Janes 和 Mckinney（註 14）之研究發現亦不謀而合。

總之，雖說研究結果僅證實使用資訊系統的經驗與相關判斷之結果較為相關，其他情境變數對相關判斷之影響均不大，但在研究目的及研究階段二變數上，仍顯示出相當有價值之資訊。在研究目的上，本研究發現自行研究者通常判斷出最多相關文章，但其精確率卻最低，而撰寫學期報告之實驗對象則反之。在研究階段上，屬於前期研究階段之資訊需求者，由於研究主題與焦點較不確定，因之相關判斷結果較爲鬆散，容易判斷出較多相關文章，精確率也隨之較高。換言之，上述研究結果再度證實影響相關判斷變因之多元化及相關之動態本質，因此要完全掌握讀者相關判斷的結果，還需要更多實證型研究才有可能達成目的。

附　註

註 1　D. C. Blair and M. E. Maron, "An Evaluation of Retrieval Effectiveness for a Full-Text Document-Retrieval System," Communication of the ACM 28:3 (1985), pp.289-299.

D. C. Blair and M. E. Maron, "Full Text Information Retrieval: Further Analysis and Clarification," Information Processing & Management 26:3 (1990), pp.437-447.

註 2　黃雪玲，「資訊需求者與次判斷者相關判斷之比較研究」（國立台灣大學圖書館學研究所，碩士論文，民 84 年 6 月），頁 87。

註 3　同上註，頁 81。

註 4　同上註。

註 5　同上註，頁 78。

註 6　同上註，頁 78-79。

註 7　B. Dervin and Michael Nilan, "Communication Gaps and Inequities: Moving Toward a Reconceptualization," in Program in Communication Science, ed. B. Dervin, vol. 2 (Norwood, N.J. : Albex Publication, 1980), pp.73-112.

註 8　B. Dervin, "Information as a User Construct: The Relevance of Percevied Information Needs to Synthesis and Interpretation," in Knowledge Structure and Use: Implication for Synthesis and Interpretation, ed. Spencer A. Ward and Linda J. Reed (Florida. : Temple University Press, 1983), pp.153-184.

註 9　Trudi Bellardo, "An Investigation of Online Searchers Traits and Their Relationship to Search Outcome," Journal of the American Society for Information Science 36:4 (July 1985), pp.241-250.

註10　Tefko Saracevic, "A Study of Information Seeking and Retrieving. II. Users, Questions, and Effectiveness," Journal of the American Society for Information Science 39:3 (May 1988), pp.177-196.

註11　James E. Grunig, "An Axiomatic Theory of Cognition and Writing," Journal of Technical Writing and Communication 15:2 (1985), pp95-130.

註12　同註 2，頁 70。

註13　A. M. Rees and D. G. Schultz, A Field Experimental Approach to the Study of Relevance Assessments in Relation to Document Searching. I: Final Report (Cleveland : Case Western Reserve University, 1967), p.103. NSF Contract No. C-423.

註14　Joseph W. Janes and Renee McKinney, "Relevance Judgments of Actual Users and Secondary Judges: A Comparative Study," Library Quarterly 62:2 (1992), pp.150-168.

第七章 心理相關之實證探討

第四章中曾提及 Harter 之心理相關，其中曾討論書目計量學與資訊檢索之關聯性。（註 1）一般而言，如果將相關資訊視爲改變知識狀態或是產生文字關聯效果之資訊，則引用文獻正是相關資訊最好的來源之一，其背後的假設相當合理而自然，因爲作者引用之書目理應爲改變其知識狀態或是產生文字關聯之書目；同時，由於引用文獻經常涉及其他主題，早已突破主題相關的局限，因此由引用文獻的角度探討心理相關，可更深入了解心理相關的本質及其應用層面。據此，本章首先介紹實證研究中所蒐集之 40 篇論文、學期報告或學術文章之參考書目特性，從心理相關的角度出發，比較線上檢索所得書目和引用書目間之異同，而後分析相關書目不被引用的原因及所有非檢索所得之參考書目來源，以實際瞭解心理相關的發展方向及其在應用上可能遭遇的問題。

第一節 參考書目之特性分析

前文曾經提及，本研究中共有 33 位檢索者，總共完成 41 次檢索和 40 份報告（包含博碩士論文、學期報告和學術性文章等），而本節分析的重點即在此 40 份報告其參考書目之特性。在這 40 份報告中，總共包括 1185 篇參考文獻，其中每份報告平均約包含 30 篇參考書目（平均值爲 29.63 篇），其標準差爲 27.98 篇，由於標準差的大小非常接近平均值，顯示每份報告所含之參考書目其多寡差異甚大，由最少的 5 篇到最多的 139 篇，其間差距高達 134 篇。表 7-1 說明報告所附參考書目筆數以介於 10 篇至 19 篇者居多，共計 13 份報告（ 32.5 ％）；其次爲介於 0 至 9 篇者，計有 8 份報告（ 20.0 ％）；而介於 20 篇至 29 篇、 30 篇至 39 篇、 40 篇至 49 篇、及 50 篇至 59 篇者，都有 3 至 5 份報告；超過 60 篇參考書目之報告亦有 3 份（ 7.5 ％）。由此可知，引用文獻是相當個人化的行爲，有些作者傾向引用大量參考文獻（引用超過 50 篇文獻的即有 7 份報告，佔 17.5 ％），而有些作者所引用的文章卻相當少（引用文獻少於 10 篇者有 8 人，佔 20.0 ％）。

以下更進一步地分析引用文獻數目和文章類型間的關係。表 7-2 顯示以博碩士論文所引用的參考書目最多（平均 39.56 篇，標準差爲 36.85 ），其次爲學期報告之 22.76 篇（標準差爲 13.97 ），而學術文章所附之參考書目最少(平均 17.20 篇，標準差 15.69)，但其間差異並沒有到達統計上的顯著水準。大致而言，博碩士論文由於希望掌握較多相關文獻且無篇幅限制，因此引用文獻數目最多是相當合理的現象。不過，學術論文所引用的文章篇數竟然比學期報告爲少，除透露出台大學生治學的嚴謹態度外，充分顯示出學術論文囿於篇幅所限，通常僅引用少數最相關文章的事實。

表 7-1：報告之參考書目數量分析表

參考書目數量	報告數量	百分比（％）	累計百分比（％）
0-9	8	20.0	20.0
10-19	13	32.5	52.5
20-29	4	10.0	62.5
30-39	5	12.5	75.0
40-49	3	7.5	82.5
50-59	4	10.0	92.5
60-	3	7.5	100.0
總 計	40	100.0	

表 7-2：文章類型對參考書目篇數之影響

文章類型	數量	參考書目篇數	標準差	F值	P值
博碩士論文	18	39.56	36.85	2.27	0.1168
學期報告	17	22.76	13.97		
學術論文	5	17.20	15.69		

在此 1185 篇參考書目中，中文書目約佔五分之一（ 241 篇， 20.3 ％），英文書目則高達五分之四的比例（ 944 篇，

79.7％)。由上述結果可大致得知,即使是學生的學期報告,對英文資料的需求量仍較中文爲高,更可證實國人在研究時對英文資料之依賴性。表 7-3 顯示本研究之 40 份報告中,其所附中文參考書目篇數之分布情形。由表 7-3 可以得知,平均每份報告約引用 6 篇中文書目(平均值 6.03),標準差爲 9.23;同理,高於平均值之標準差透露出作者引用中文書目的數量差異相當大。大致而言,報告中之中文書目在 5 篇以下(不含 5 篇)者總計有 26 份(65.0％),且其中有 16 份報告(40％)完全不含任何中文書目;換言之,每 5 份報告中就有 2 份未引用任何中文書目。再者,92.5％(37 份)之報告,其所附之中文參考書目在 20 篇以下,顯示出大部分報告之中文書目並不多;但也有 1 份報告所附之中文書目高達 43 篇,經過查證,此份報告爲碩士班研究生所撰寫之學期報告,因此其中文書目明顯偏高。

表 7-3:報告之中文參考書目數量分析表

參考書目數量	報告數量	百分比(％)	累計百分比(％)
0-4	26	65.0	65.0
0	16	40.0	
1	1	2.5	
2	2	5.0	
3	4	10.0	
4	3	7.5	
5-9	5	12.5	77.5

表 7-3：報告之中文參考書目數量分析表（續一）

參考書目數量	報告數量	百分比（%）	累計百分比（%）
10-14	4	10.0	87.5
15-19	2	5.0	92.5
20-	3	7.5	100.0
總　計	40	100.0	

若以變異數分析更進一步探討中文引用文獻篇數和文章類型間的關係，表 7-4 顯示博碩士論文約引用 4 篇（平均值是 3.94 篇）中文書目，學期報告所引用的中文書目高達 10 篇，而學術論文則未曾引用任何中文書目，同時，三者之間的差異到達統計上 0.05 之顯著水準。由此可知，在學期報告中，由於學生的英文能力較弱且要求較低，所以引用較多的中文書目；而博碩士論文大多爲較具價值之研究，因此其引用的文獻以英文爲主，學術論文則因其大多以英文撰寫，因之引用文獻全爲英文，沒有任何中文文獻存在。

表 7-4：文章類型對中文參考書目篇數之影響

文章類型	數量	中文參考書目篇數	標準差	F 值	P 值
博碩士論文	18	3.94	5.44	3.5001	0.0405
學期報告	17	10.00	11.96		
學術論文	5	0.00	0.00		

表 7-5 顯示報告中英文參考書目篇數之分布情形。大致而言，引用英文參考書目筆數介於 0 篇至 9 篇和介於 10 篇至 19 篇者，各有 13 份報告（佔 32.5 %）；同時，有 5 份報告（12.5 %）所附之英文書目筆數介於 20 篇至 29 篇，1 份報告（2.5 %）所附之英文參考書目在 30 篇至 39 篇之間，另有 5 份報告包含 40 至 49 篇英文參考書目，而超過 50 篇英文參考書目之報告仍有 3 份（7.5 %）。由原始數據可以得知，報告中引用英文文獻最多者高達 138 篇，此份報告爲生化科學所研究生所完成之碩士學位論文；另有 1 份報告完全未引用英文文獻，此份報告爲大學部學生所撰寫之學期報告。一般而言，每份報告平均引用 23.60 篇英文文獻，其標準差爲 27.31，高於平均值之標準差顯示出作者使用英文參考書目之數量多寡差距相當大。

表 7-5：報告之英文參考書目數量分析表

參考書目數量	報告數量	百分比（%）	累計百分比（%）
0-9	**13**	**32.5**	**32.5**
0	1	2.5	
2	1	2.5	
5	4	10.0	
6	2	5.0	
7	3	7.5	
8	1	2.5	
9	1	2.5	

表 7-5：報告之英文參考書目數量分析表（續一）

參考書目數量	報告數量	百分比（%）	累計百分比（%）
10-19	**13**	**32.5**	**65.0**
10	2	5.0	
11	2	5.0	
12	1	2.5	
13	3	7.5	
14	1	2.5	
15	2	5.0	
17	1	2.5	
19	1	2.5	
20-29	**5**	**12.5**	**77.5**
30-39	**1**	**2.5**	**80.5**
40-49	**5**	**12.5**	**92.5**
50-	**3**	**7.5**	**100.0**
總 計	40	100.0	

若以變異數分析更進一步探討英文引用文獻篇數和文章類型間的關係，表 7-6 顯示，博碩士論文所引用的英文參考書目最多，高達 35.61 篇；學術論文所引用的英文文獻居次，平均為 17.20 篇；而學期報告所引用的英文文章也有 12.76 篇之多，同時三者之間的差異到達統計上 0.05 之顯著水準。事後以 Tukey 法進行兩兩比較，發現博碩士論文所引用之英文參考書目篇數和學期報告所附之英文參考書目篇數，其差異到達統計上 0.05 之顯著水準。由於目前研究成果

大多以英文發表，因此學術論文和博碩士論文中包含較多英文參考書目，是相當正常的現象；但學生的學期報告，其引用之英文文章仍較中文文章爲多（ 12.76 ： 10.00 ），更進一步證實國人對英文資料的依賴性。當然，本研究中之學期報告大多爲研究生所完成（ 15/17, 88.2 ％），也是造成英文書目偏高的重要原因之一。

表 7-6 ：文章類型對英文參考書目篇數之影響

文章類型	數量	英文參考書目篇數	標準差	F值	P值
博碩士論文	18	35.61	36.17	3.6539	0.0356
學期報告	17	12.76	8.14		
學術論文	5	17.20	15.69		

大體而言，在本研究之 40 份報告中，每份報告平均引用 29.63 篇文獻，其中 6.03 篇爲中文文獻，而英文文獻則高達 23.60 篇。此數據充分顯示出國人對英文文獻的重視和依賴程度，即使是學生撰寫學期報告，也有大量使用英文文獻的傾向，所以英文書目資料庫的訓練和使用，對國人而言，其重要性絕不亞於中文資料庫。

第二節 檢索所得書目和被引用書目之差異探討

在本研究之41次檢索中，總共產生1557筆書目資料，其次數分配之結果詳見表6-9。在這1557篇文章中，計有97篇成為文後引用書目，換言之，只有6.2%的檢出文章被列為引用書目，亦即僅有6.2%之檢出文章最後被判斷為心理相關。再者，40份報告中所引用之書目共計1188篇，其中也只有100篇為線上檢索所得，也就是說，僅有8.4%的參考書目來自於線上檢索。因此，不管從何種角度來看，線上檢索所得書目之被引用率實在過低。必須說明的是，報告中有100篇文章為線上檢索所得，而僅有97篇檢索所得文章被列為引用書目，此二數據表面上看起來互相衝突，但事實上並無錯誤，因其中有1位檢索者撰寫2份報告，其均引用同一次檢索中相同的3筆書目，也就是說，有3篇書目被2份報告重複引用，因此造成此二數據間之差距。所以，扣掉2份報告中重複出現的3篇引用書目，本研究中總共有1185篇引用文獻。

由於本節的分析以報告為單位，在上述爭議中，決定採用100篇而非97篇作為討論之依據。表7-7顯示，在此100篇被引用書目中，有60篇其相關判斷結果為「非常相關」（60%），有27篇之判斷結果為「相關」（27%），而判斷結果爲「部分相關」的有11篇（11％），判斷結果爲「不相關」的則有2篇（2％）。由此可知，大部分被引用文章其相關判斷結果皆爲「非常相關」，其次爲「相關」，再其次爲「部分相關」，最後才是「不相關」。也就是說，當檢出文章的相關判斷結果爲「非常相關」時，其被引用的機率大爲增加。事實上，造成上述現象的原因相當自然合理，文章的相關程度愈高，其被引用之機率當然隨之而增。

表 7-7：報告所引線上檢出書目之相關判斷結果

相關判斷結果	引用篇數	百分比
非常相關	60	60%
相關	27	27%
部分相關	11	11%
不相關	2	2%
總　計	100	100%

對上述100篇線上檢索檢出之引用文獻進行更進一步分析，表7-8顯示引用書目篇數於「非常相關」判斷結果之分布情形，發現約半數的報告（21篇，52.5％）未曾引用任何一篇判斷爲「非常相關」之文獻，而引用1篇「非常相關」之文獻者計有8份報告（20.0％），引用2篇的有4份報告（10.0％），引用3篇及4篇文章的各有2份報告（5.0％），而引用6篇、7篇及17篇文獻則各有1份報告（2.5％）。

由原始數據可得知，平均每份報告僅引用 1.48 筆「非常相關」之文獻，標準差為 3.00，其中有 1 人引用「非常相關」之文獻高達 17 篇之多。由表 6-12 可得知，檢出書目被判斷為「非常相關」的有 219 篇，其中有 60 篇被引用，其比率為 27.4％；換言之，約 4 篇「非常相關」的文獻才有 1 篇最後會被選為真正心理相關之文獻。然而，超過一半的報告未曾引用任何一篇判斷結果為「非常相關」之書目，充分透露出相關文獻不被使用的普遍性，這也正是激起筆者研究此現象之最大動機。

表 7-8：引用書目分布於「非常相關」判斷結果之篇數統計表

引用「非常相關」文章之篇數	報告數量	百分比（％）	累計百分比（％）
0	21	52.5	52.5
1	8	20.0	72.5
2	4	10.0	82.5
3	2	5.0	87.5
4	2	5.0	92.5
6	1	2.5	95.0
7	1	2.5	97.5
17	1	2.5	100.0
總　計	40	100.0	

表 7-9 顯示引用書目篇數於「相關」判斷結果之分布情形，超過 7 成（ 29 篇， 72.5 ％）的報告未曾引用任何一篇

被判斷成「相關」之文獻，而僅引用1篇「相關」文獻之報告計有6份（15.0％），引用2篇「相關」文獻者計有2份，其他則各有1份報告（2.5％）分別引用4篇、6篇及7篇「相關」文獻。事實上，每份報告所引用的「相關」文獻平均不到1篇（平均值爲0.68），標準差是1.58，雖說絕大多數之報告未曾引用任何一篇檢索所得之「相關」文獻，但其中亦有1人引用「相關」之文獻高達7篇之多。與表6-12所提供之資訊合併討論，由於所有檢出書目被判斷爲「相關」結果之筆數高達329筆，而其中僅有27筆被引用，比率只有8.2％，也就是說，在100篇「相關」書目中，僅有8筆書目資料最後會成爲心理相關之書目。

表7-9：引用書目分布於「相關」判斷結果之篇數統計表

引用「相關」文章之篇數	報告數量	百分比（％）	累計百分比（％）
0	29	72.5	72.5
1	6	15.0	87.5
2	2	5.0	92.5
4	1	2.5	95.0
6	1	2.5	97.5
7	1	2.5	100.0
總　計	40	100.0	

至於引用書目於「部分相關」判斷結果之分布情形，如表 7-10 所示，高達 80 ％（32 份）的報告未曾引用任何一篇「部分相關」之檢出書目，而引用 1 篇「部分相關」書目之報告共計 7 份（17.5 ％），至於引用「部分相關」文獻篇數最多者爲 4 篇，但僅有 1 份報告（2.5 ％）。事實上，報告中引用「部分相關」文獻之比率相當低，其平均值只有 0.28，標準差爲 0.72。若與表 6-12 所提供之資訊合併討論，發現檢出書目中被判斷成「部分相關」結果者計有 390 篇，而其中僅有 11 篇被引用，其比率相當低，只有 2.8 ％。換言之，100 篇「部分相關」的文章中，只有 3 篇文章爲心理相關，因此，當文獻的相關判斷結果爲「部分相關」時，其被選爲最後引用書目的機率將大爲降低。

表 7-10：引用書目分布於「部分相關」判斷結果之篇數統計表

引用「部份相關」文章之篇數	報告數量	百分比（％）	累計百分比（％）
0	32	80.0	80.0
1	7	17.5	97.5
4	1	2.5	100.0
總　計	40	100.0	

最後討論引用書目篇數於「不相關」判斷結果之分布情形。照理而言，判斷成不相關的書目理應不會被利用，因此

表 7-11 顯示 95％（38 份）的報告並未引用任何判斷結果爲不相關之文獻，只有 2 份報告（5.0％）各引用 1 篇不相關文獻。由表 6-12 可得知，判斷結果爲不相關之文獻有 619 筆，因此不相關文獻被引用的比率只有千分之三。所以當檢出資料被判斷爲不相關資料時，最後成爲心理相關文章的機率微乎其微。根據訪談結果，檢索書目被判斷爲不相關卻引用的原因有二，分別是判斷錯誤（原先之判斷結果爲不相關，後因其他相關文獻引用此篇文章，始知此篇文章之相關度很高）和佐證之用（發現實驗結果相同，可爲佐證之用）。雖說不相關文獻最後被引用的機率相當低，但其充分顯示出相關判斷動態及變化的本質；而以實驗結果爲佐證之用，更是相關判斷並非全以主題爲依歸之最好證據。

表 7-11：引用書目分布於「不相關」判斷結果之篇數統計表

引用「不相關」文章之篇數	報告數量	百分比（％）	累計百分比（％）
0	38	95.0	95.0
1	2	5.0	100.0
總　計	40	100.0	

至於探討文章被引用與否與其相關程度的關係，可由同一相關判斷結果之被引用情形窺知一二。表 7-12 顯示不同相

關判斷結果書目之被引用情形，發現以「非常相關」書目被引用的比率最高（27.4％），「相關」書目之被引用率次之（8.2％），而「部分相關」書目之被引用率再次之（4.9％），「不相關」書目之被引用率則最低（0.3％）。由此可知，相關判斷的結果的確與文章的被引用率有所關聯，文章的相關度愈高，其被引用的可能性也大爲增加。不過，如果僅以相關係數大小來看相關判斷結果與引用文獻筆數間的關係，只有非常相關的資料筆數和引用文獻筆數間的關聯性到達統計上之顯著差異（0.001之顯著水準），其相關係數高達0.5176，其餘變數間的關係均未到達統計上之顯著差異。

表7-12：不同相關判斷結果之被引用率比較表

相關判斷結果	判斷筆數	引用筆數	引用百分比
非常相關	219	60	27.4%
相關	329	27	8.2%
部分相關	390	11	2.8%
不相關	619	2	0.3%
總　計	1557	100	

由上述討論可得知，如果以線上檢索所得書目1557筆爲基礎進行討論，其中僅有97篇被引用，其引用比率爲6.2％，此數值遠低於Penhale和Taylor所提出之引用比率（25

%）（註2）；若以檢出之相關書目（ 938 篇）爲基礎，引用率還是只有 10.3 %。再者，檢索者所完成之 40 份報告中，文後參考書目總共有 1185 篇，其中英文文獻高達 944 篇（ 80 %），所以英文參考書目來自於檢索所得之比率也只有 10.3 %。此結果可證實檢索所得書目和引用書目間的差距相當大，其重合的比率最多只有 10 %。當然，由於本研究中完成多次檢索的資訊需求者並不多，無法充分掌握檢索者資訊需求之即時變化，很可能是線上檢索所得書目引用率偏低的主要原因之一。一般而言，若以心理相關的角度設計系統，理想的線上檢索系統應該檢出資訊需求者最後認爲相關或有用的書目，也就是執筆者文後所附之引用書目。因此本研究所得之低引用率，除證實相關動態與多變的本質外，更顯示在以心理相關爲依歸的系統設計上，還有很多難題尚待解決。

第三節　相關書目不被引用的原因

在資訊檢索的領域中，可將線上檢索系統視爲一部相關判斷的機器，其目的在爲讀者找尋相關書目，而文後引用書目則是執筆者最後判斷爲相關或有用的書目。因此，在心理相關的假設下，這二份書目應該是同一份書目；但在現實中，這二份書目的差距相當大，本研究甚至發現線上檢索所得書目被列入文後引用書目之比率只有 6.2 %。爲了解相關書目爲何不被引用，本研究特別以訪問法調查其原因，希望能對低引用率的成因進行系統化的分析，以期真正設計出以心理相關判斷文章相關與否之資訊檢索系統。

事實上，由於預知線上檢索所得書目之引用率應該很低，因此在讀者繳回報告時，就曾以訪問法大致詢問相關書目不被引用的原因以及低引用率的成因，讓資訊需求者根據其印象作答。表 7-13 即爲此訪談結果之整理。大致而言，讀者認爲「難以取得原文」是造成低引用率的最大原因（ 40 份報告中有 18 份報告的作者曾提及此原因，佔 45.0 ％），其次依序爲「時間匆促，來不及完全閱讀資料」（ 15/40 ，37.5 ％）、「某些主題後來被排除在研究範圍之外，故此部分資料不加以引用」（ 12/40 ， 30 ％）、「已掌握部分資料，此次檢索僅爲補充資料」（ 11/40 ， 27.5 ％）、「未充分掌握檢索詞彙，故檢索到許多不相關資料」（ 10/40 ， 25 ％）、「大部分文獻僅爲參考其研究方法，主題關係不大」（ 6/40 ， 15.0 ％）、「資料語文非英文」（ 5/40 ， 12.5 ％）、「檢索時研究主題尙稱模糊，檢索結果只爲協助確定研究範圍」（ 4/40 ， 10.0 ％）、「找到原文後，發現該文獻之研究重點或研究方法與想像有所出入」（ 4/40 ， 10.0 ％）、「因投稿文章篇幅設限，所以使用的參考資料不宜太多」（ 4/40 ， 10.0 ％）、「檢索時即使文章相關度不高亦不願錯過，但實際引用時，只會引用相關度較高之文章」（ 4/40 ，10.0 ％）、「資料內容艱深，不易理解」（ 3/40 ， 7.5 ％）、

表 7-13：低引用率成因表

低引用率原因	發生頻率	百分比（%）
◆難以取得原文	18	45.0
◆時間匆促，來不及完全閱讀資料	15	37.5
◆某些主題後來被排除在研究範圍之外，故此部分資料不加以引用	12	30.0
◆已掌握部分資料，此次檢索僅為補充資料	11	27.5
◆未充分掌握檢索詞彙，故檢索到許多不相關資料	10	25.0
◆大部分文獻僅為參考其研究方法，主題關係不大	6	15.0
◆資料語文非英文	5	12.5
◆檢索時研究主題尚稱模糊，檢索結果只為協助確定研究範圍	4	10.0
◆找到原文後，發現該文獻之研究重點或研究方法與想像有所出入	4	10.0
◆因投稿文章篇幅設限，所以使用的參考資料不宜太多	4	10.0
◆檢索時即使文章相關度不高亦不願錯過，但實際引用時，只會引用相關度較高之文章	4	10.0

表 7-13：低引用率成因表（續一）

低引用率原因	發生頻率	百分比（%）
◆資料內容艱深，不易理解	3	7.5
◆研究此主題之學者仍屬少數，故檢出之相關文獻不多	2	5.0
◆資料過時，故不引用	1	2.5
◆研究已近結束階段，此次檢索僅為補充資料	1	2.5

「研究此主題之學者仍屬少數，故檢出之相關文獻不多」（2/40，5.0％）、「資料過時，故不引用」（1/40，2.5％）、及「研究已近結束階段，此次檢索僅爲補充資料」（1/40，2.5％）等 15 種原因。雖說上述原因乃根據實驗對象之印象作答，但仍透露出不少訊息，充分顯示出相關判斷動態的本質（如「某些主題後來被排除在研究範圍之外，故此部分資料不加以引用」、「檢索時研究主題尙稱模糊，檢索結果只爲協助確定研究範圍」、及「找到原文後，發現該文獻之研究重點或研究方法與想像有所出入」等原因）及其超越主題觀點的特性（如「大部分文獻僅爲參考其研究方法，主題關係不大」及「資料語文非英文」等原因）。同時，引用文獻個人化的特性（如「因投稿文章篇幅設限，所以使用的參考資料不宜太多」及「檢索時即使文章相關度不高亦

不願錯過，但實際引用時，只會引用相關度較高之文章」等）也在此一覽無遺。此外，一些情境因素也會影響線上檢出書目之引用率，例如「未充分掌握檢索詞彙，故檢索到許多不相關資料」及「研究此主題之學者仍屬少數，故檢出之相關文獻不多」等因素，都是檢索者所認爲之低引用率成因。

本研究中總共有 938 篇相關文章，扣掉判斷爲相關且被引用之 95 筆書目，總計有 843 篇相關但未被引用之書目。本研究針對此 843 篇書目，逐一詢問其不被引用的原因，所得結果應較根據資訊需求者印象所詢得之低引用率成因更爲具體客觀。表 7-14 顯示相關書目不被引用之原因，其中排名第一之「找到文章後，發現其研究焦點與本研究無關」（194 篇，23.0 ％）、排名第三之「因研究題目的重點稍有轉變，所以不引用」（100 篇，11.8 ％）、及排名第七之「再度瀏覽摘要時，認爲文章之相關度並不高，所以根本未去找出原文」（35 篇，4.2 ％）等三種原因，都是因爲研究重點改變而不引用該書目，充分顯示資訊需求之動態本質及資訊需求者其認知及知識狀態不斷變化的特色。至於排名第二之「找不到原文」（190 篇，22.5 ％）及排名第四之「根本沒有時間找出此文獻」（69 篇，8.2 ％）等二種原因，可視爲取得難易程度（accessibility）決定使用率的最好證明。而排名第五之「當時太匆促，判斷錯誤，實爲不相關」（49 篇，5.8 ％）及排名第九之「時間來不及，根本沒看完」（32 篇，3.8 ％）等二種原因，則是情境變數影響資料使用之最佳實例。

表 7-14：檢索書目被判斷為相關卻不引用的原因

不引用的原因	排名	篇數	百分比（%）
◆找到文章後，發現其研究焦點與本研究無關	1	194	23.0
◆找不到原文	2	190	22.5
◆因研究題目的重點稍有轉變，所以不引用	3	100	11.8
◆根本沒有時間找出此文獻	4	69	8.2
◆當時太匆促，判斷錯誤，實為不相關	5	49	5.8
◆當作背景知識	6	40	4.7
◆再度瀏覽摘要時，認為文章之相關度並不高，所以根本未去找出原文	7	35	4.2
◆僅參考研究方法（或實驗材料），並未直接引用該文獻	8	33	3.9
◆時間來不及，根本沒看完	9	32	3.8
◆有關此主題之引用文獻已經夠多，不須引用太多	10	27	3.2
◆因資料語文非英文，所以看不懂	11	22	2.6

表 7-14：檢索書目被判斷為相關卻不引用的原因（續一）

不引用的原因	排名	篇數	百分比（%）
◆此篇文章之內容已涵蓋於他篇文獻中，故不重複引用	12	19	2.2
◆資料太舊已過時	13	14	1.7
◆文章內容艱深，難以理解	14	7	0.8
◆文中雖有實際引用，但並未於參考書目中列出	15	4	0.5
◆因實驗結果與預期不符，所以不引用找到的資料	15	4	0.5
◆沒印象，不記得是什麼原因	15	4	0.5
總計		843	100.0

至於和個人引用習慣有關的相關書目不被引用原因，則包含排名第六之「當作背景知識」（40篇，4.7％）、排名第八之「僅參考研究方法（或實驗材料），並未直接引用該文獻」（33篇，3.9％）、排名第十之「有關此主題之引用文獻已經夠多，不須引用太多」（27篇，3.2％）、排名第十二之「此篇文章之內容已涵蓋於他篇文獻中，故不重複引用」（19篇，2.2％）、及同爲排名第十五之「文中雖有實際引用，但並未於參考書目中列出」和「因實驗結果與預期不符，所以不引用找到的資料」（各4篇，0.5％）等六種

原因，因爲在同樣的情況下，有些作者會標註引用文獻，有些作者則否。至於因爲文章之非主題因素而未被使用者，包括排名第十一之「因資料語文非英文，所以看不懂」（22篇，2.6％）、排名第十三之「資料太舊已過時」（14篇，1.7％）、及排名第十四之「文章內容艱深，難以理解」（7篇，0.8％）等三項原因，在在透露相關判斷所考慮的層面遠遠超過主題層次；而「沒印象，不記得是什麼原因」亦發生4次（0.5％），顯示不記得當初爲何引用或爲何不引用的作者並不多。

一般而言，探討相關文章不被使用的文獻相當少，Patrick Wilson即是少數探討此主題的學者之一。一般而言，相關資訊可視爲決定溝通效益的最大關鍵，所以不管是市場或是個人，都應該掌握所有相關資訊，才能發揮最大的溝通效益。（註3）然而，相關資訊不被使用的情形比比皆是，著實降低其應有的溝通效益，這正是Wilson研究此問題的最大動機。事實上，Wilson主要是站在「資訊超載」（information overload）和「政策性的不被使用」（nonuse as policy）二種觀點討論相關資訊不被使用的原因。所謂資訊超載，其和認知負擔高度相關，當讀者沒有時間和精力消化吸收相關資訊時，相關資訊就很可能不被使用。而在人類資訊處理的過程中，「排隊」（queuing）現象是造成資訊超載的重要原因之一。舉例而言，研究者對現有資訊的處理方式可能是立即處理、時間允許時再行處理、加註歸檔以備日後使用、及視而不見等四種方式，如果被歸類於「時間允許時再行處理」的相關資訊過多，就會產生「積壓」（backlogs）的現象。（註 4）因此，對研究者而言，其所接觸的資訊愈多，所擁有的相關資訊也隨之增多，不過相對而言，研究者所能用來處理其他資訊的時間也相對減少，所以當這種情形愈來愈嚴重時，就可能產生積壓的現象，造成相關資訊的不被使用，進而影響到溝通的效益。至於政策性的不被使用，依據 Wilson 的定義，係指當 A 和 X 同為某研究範圍的現象，或是 A 和 X 具有某種程度上的關聯性，或是 X 是 A 的子系統時，X 便可能因為下列政策性因素而被捨棄不用：（註 5）

1.延緩（deferral）：有關 X 的相關資訊稍後再用；
2.專業性（specialization）：捨棄 X 才能集中研究 A 的概念；
3.研究領域（territoriality）：X 被捨棄的原因在於它與目前的研究無關，或是它是屬於 A 的另一專業概念；
4.安全捨棄（safely ignorable）：因為 X 是不重要的，或是它的影響較低；
5.難以處理（unmanageable）：X 被捨棄的原因是因其難以處理，例如難以理解或文字艱澀等；
6.過度提供（oversupply）：X 所提供的量已過多，很容易產生資訊超載。

因政策性因素不使用相關資訊，和因資訊超載而不使用相關資訊一樣，都會降低溝通效益。然而，在決策或研究過程中，並不一定需要使用所有相關資訊，所以如何估算因相關文章不被使用所降低的溝通效益，更是難上加難。事實上，「遲來的資訊」（late finds）和「未曾發現的資訊」（never finds）都是溝通上普遍存在的現象（註 6），但目前尚無研究具體指出上述資訊對溝通效果所產生的負面影響。換言之，若能知道每一篇文章所能產生的溝通效益，很多屬於資訊科學的操作型定義就可以應之而生，其研究典範也會徹底改變，但由於文章彼此間的替代性和非絕對需要的性質，外加個人的認知及知識狀態不斷改變的事實，想要準確估算每篇文章所產生的絕對效益，似乎是遙不可及的夢想。

事實上， Wilson 在其另一篇文章中曾論及新穎性（currency）對資訊需求者的價值（註 7），很自然地，在相關文章較多時，讀者通常傾向捨棄較爲老舊的文獻，所以筆者決定將其補充爲相關資訊不被引用的原因之一。因此，比較 Wilson 綜合歸納之原因及筆者實證研究所發現之原因，表 7-15 顯示除了一些和個人引用習慣有關的原因外，其餘所有原因都十分吻合，也就是說，本研究的實證結果意外證實了 Wilson 所提出之假設性理論。一般而言，和資訊超載有關的原因包含一些和時間壓力有關的情境變數，例如「根本沒有時間找出此文獻」、「當時太匆促，判斷錯誤，

表 7-15：Wilson之相關文獻不被使用理論與本研究所發現之相關文獻不被使用原因對照表

Wilson之理論	相關文獻不被使用之原因	發生次數
資訊超載		**150**
	◆根本沒有時間找出此文獻	69
	◆當時太匆促，判斷錯誤，實為不相關	49
	◆時間來不及，根本沒看完	32
政策性的不被使用		**408**
研究領域		**333**
	◆找到文章後，發現其研究焦點與本研究無關	194
	◆因研究題目的重點稍有轉變，所以不引用	100
	◆再度瀏覽摘要時，認為文章之相關度並不高，所以根本未去找出原文	35
	◆因實驗結果與預期不符，所以不引用找到的資料	4
安全捨棄	◆此篇文章之內容已涵蓋於他篇文獻中，故不重複引用	19

表 7-15：Wilson之相關文獻不被使用理論與本研究所發現之相關文獻不被使用原因對照表（續一）

Wilson之理論	相關文獻不被使用之原因	發生次數
難以處理		**29**
	◆因資料語文非英文，所以看不懂	22
	◆文章內容艱深，難以理解	7
過度提供	◆有關此主題之引用文獻已經夠多，不須引用太多	27
新穎性	◆資料太舊已過時	14
未曾發現的資訊	◆找不到原文	190
總　計		762

實為不相關」、及「時間來不及，根本沒看完」等三種原因，通常當讀者沒有時間處理相關資訊時，這種資訊超載會成為相關資訊不被使用的重要原因。至於政策性的不被使用，其中與研究領域有關的原因包括「找到文章後，發現其研究焦點與本研究無關」、「因研究題目的重點稍有轉變，所以不引用」、「再度瀏覽摘要時，認為文章之相關度並不高，所以根本未去找出原文」、及「因實驗結果與預期不符，所以不引用找到的資料」等四種，都是因為再度審視該文章時，發現其與目前研究領域無關而不被使用。至於安全捨棄，其

所指為影響力較低或較不重要之文章，因此和本研究中之「此篇文章之內容已涵蓋於他篇文獻中，故不重複引用」有異曲同工之妙。而在難以處理方面，則可以本研究所發現之「因資料語文非英文，所以看不懂」及「文章內容艱深，難以理解」二種原因為代表。同時，「因有關此主題之引用文獻已經夠多，不須引用太多」則是過度提供的最佳證明。此外，本研究所發現之「資料太舊已過時」，可視為新穎性的同義詞；而「找不到原文」，則可隸屬於 Wilson 所提出的「未曾發現的資訊」之類別。然而，本研究尚找出三種無法融入 Wilson 理論中的原因，分別是「當作背景知識」、「僅參考研究方法，並未直接引用該文獻」、及「文中雖有實際引用，但並未於參考書目中列出」，由於其與個人引用習慣高度相關，因此本研究之實驗對象選擇不引用這些文獻，並不代表其他作者同樣會決定不引用此文獻。所以除了引用書目的格式外，引用文獻標註之規範可能更為重要，只有明確地規範必須標註引用文獻的狀況，引用文獻才能反映讀者對資訊真實的使用狀況，引用文獻索引才能發揮其應有的功能。

由表 7-15 可更進一步發現，相關文章不被引用導因於政策性不被使用的情況（408 次，53.5 %）遠較資訊超載的情況（150次，19.7 %）為高；而在政策性的不被使用上，又以「研究領域」的情況（333 次，81.6 %）最常發生。由此可知，本研究之實驗對象傾向因政策性因素而未使用相關文獻，而其中又以資訊需求變化所導致的研究領域轉變，為相關文章不被使用的最大原因。

總之，本研究共有 843 篇相關而未被引用的書目，其分別由十七種不同的原因所造成，其中計有十三種原因所引發的 762 篇相關而未被引用的書目，可被融入 Wilson 所發展出的理論中；換言之， 90 ％的書目和 76 ％的原因可以用 Wilson 的理論解釋之，可謂是非常成功的模式測試結果。事實上，任何一種相關資訊不被使用的原因，或多或少都會影響溝通的效果，降低系統與讀者間的溝通效益，這是相當值得深入探討的研究領域。

第四節 非線上檢索書目之來源

在本研究所蒐集之 40 份報告中，總共包括 1185 篇書目，其中只有 97 篇為線上檢索所得，因此研究其他 1088 篇（ 91.8 ％）參考書目的來源，將是了解研究者參考書目來源的最佳途徑。在本研究中，研究者根據報告所附的參考書目，逐一訪談得到二十五種參考書目的來源（包括本研究付費的 Dialog 檢索所得），表 7-16 顯示參考書目的最大來源為「由其他文獻的參考書目得知」（ 381 篇， 32.2 ％），充分透露出國人最為依賴的資訊尋求行為模式是「引用文獻滾雪球法」（ citation pearl growing ）。一般而言，只要找到幾篇相關文章（即所謂「珍珠」），由於引用文獻和本文間

表 7-16：非檢索所得之參考書目來源

來　　源	排名	參考書目總數	百分比（%）
◆由其他文獻的參考書目得知	1	381	32.2
◆光碟資料庫檢索	2	270	22.8
◆教師所提供之參考書目或教科書	3	94	7.9
◆由同學或學長口中得知	4	58	4.9
◆定期翻閱新到期刊	5	51	4.3
◆圖書館 OPAC	6	42	3.5
◆原先已有之文獻	7	40	3.4
◆架上瀏覽或新書展示架	8	37	3.1
◆查詢他館 OPAC	9	22	1.9
◆由其他地方查詢 Dialog	10	14	1.2
◆學長姊/學弟妹的論文或學期報告	11	12	1.0
◆該實驗室曾發表的作品	12	10	0.8
◆翻閱會議論文所得	13	9	0.8
◆圖書館之參考工具書	13	9	0.8
◆研究室藏書	15	8	0.7
◆自己買的資料	16	6	0.5
◆該學域經典之作或核心期刊	16	6	0.5
◆指導教授所發表的文獻	18	4	0.3
◆無法確定來源	18	4	0.3
◆文章作者所提供	20	3	0.3
◆從 Internet 取得	20	3	0.3

表 7-16：非檢索所得之參考書目來源（續一）

來　　源	排名	參考書目總數	百分比（%）
◆已知的期刊專刊	22	2	0.2
◆自我引用之文獻	22	2	0.2
◆專題演講之講稿	24	1	0.1
◆本次檢索所得	不列入排名	97	8.2
總　　計		1185	100.0

應該存在某種程度的關聯（不一定為主題相關），因此可以根據這些「珍珠」的引用文獻，找出更多相關文獻。第二大參考書目來源為「光碟資料庫檢索」（270 篇，22.8 %），由於光碟資料庫操作簡便且可快速取得主題相關的文獻，因此頗受一般讀者青睞。然而，除了少數中文資料庫外，大部分的光碟資料庫 Dialog 系統均有收錄，因此令人訝異的是，為何這些相關文獻並沒有在 Dialog 檢索中檢出，這是非常值得深入探討的問題。事實上，即使是透過相關文章的引用文獻所找出的相關文章，還是可以在高品質的 Dialog 檢索中被檢出，此結果不禁令人懷疑實驗對象的檢索能力。或許正如 Blair 和 Maron 所發現之低回收率現象，雖然是 0.2 之回收率，但檢索者卻誤以為回收率高達 0.75。（註 8）如果真如 Wilson 所言：相關文章不被引用會降低溝通效益，則圖書資

訊界更應該正視讀者自以爲滿意但又不盡完善之檢索所帶給研究及決策的可能傷害。

至於其他出現次數超過 30 次之參考書目來源，尚包括排名第三至第八的下列六項原因。其中排名第三者爲「教師所提供之參考書目或教科書」（ 94 次， 7.9 ％）。一般而言，學生的學期報告或博碩士論文，教師都可能提供相當的協助（在某些情況下，其研究題目亦有可能爲教師所提供），自然會有不少參考書目其來源是由教師所提供。而排名第四之「由同學或學長口中得知」（ 58 次， 4.9 ％），也是國內研究生撰寫論文時非常普遍的現象，由於同學或學長可能彼此互知其研究題目，因此在找尋資料的過程中，如果發現與之相關的文章，通常都會提供給資訊需求者參考，因此同學或學長提供也是非常重要的參考書目來源之一。至於排名第五之「定期翻閱新到期刊」（ 51 次， 4.3 ％），可視爲資訊需求者以瀏覽方式自行進行「專題選粹服務」，這是很多教師及研究生掌握最新相關資訊的有效方法。而排名第六之「圖書館 OPAC 」系統，其發生次數爲 42 次，佔所有參考書目來源之 3.5 ％，顯示還是有不少讀者利用線上公用目錄搜尋相關書目。附帶一提，本研究中已無任何參考書目是源自卡片目錄，顯示線上公用目錄已完全取代卡片目錄在尋找資訊時的地位。而排名第七之參考書目來源爲「原先已有之文獻」（ 40次， 3.4 ％），由此可知讀者在檢索前即已掌握部分相關文章的現象相當普遍。至於排名第八之「架上瀏覽或新書展示架」（37次，3.1％），則是另外一種瀏覽行爲，部分有關使用研究之研究結果指出正式資訊系統無法取代瀏覽的功能，由排名第五之「定期翻閱新到期刊」和此原因雙雙出現於前八名即可窺知一斑。

至於出現次數超過10次（包含10次）的參考書目來源尚包括「查詢他館OPAC」（22次，1.9％）、「由其他地方查詢Dialog」（14次，1.2％）、「學長姊/學弟妹的論文或學期報告」（12次，1.0％）、及「該實驗室曾發表的作品」（10次，0.8％）等四種來源。而其餘十二種來源，其出現次數均低於10次，充分顯示出資訊需求者參考書目的來源相當多，遍及各種正式管道與非正式管道。上述多元化管道（高達25種不同的管道）透露出欲檢索出上述所有心理相關之文獻，資訊系統除對資訊需求者的認知及知識狀態有所了解外，還必須掌握其週邊之情境變數，包括資訊需求者所處的環境及其接觸的人物等。

有關資訊尋求行爲的研究指出，不管處於任何研究階段，非正式管道的使用率總是高於正式管道；同時，在可以利用人際溝通的情況下，讀者總是儘可能透過人際溝通管道取得資訊。（註9）然而，本研究所發現之參考書目來源中，即使是從寬定義，屬於人際溝通管道者仍然不多，總計出現167次（15.3％），其中包括「教師所提供之參考書目」（94次，7.9％）、「由同學或學長口中得知」（58次，4.9％）、「學長姊/學弟妹的論文或學期報告」（12次，1.0％）、及「文章作者所提供」（3次，0.3％）等四種管道。筆者以為，造成上述現象的原因不太可能是因為正式管道的大幅度改進，其親和性吸引大量使用者，因而改變以非正式管道為主的使用生態，比較可能的原因是引用文獻只標註書目性資料，而許多人際溝通的管道都難以透過引用文獻的方式加以標示。換言之，將參考書目與實際使用的書目等化，很容易造成以偏概全的錯誤，因為參考書目應該只是使用者利用過的部分資訊，將其視為全部資訊來源是非常危險的觀點。

若是將本研究所發現之參考書目來源粗分為「正式管道」和「非正式管道」，可得知屬於正式管道的有七項來源（發生457次，佔38.7％），隸屬於非正式管道的則有十七種參考書目來源（發生724次，佔61.3％）；換言之，本研究中約4成的參考書目來自「正式管道」，而源自「非正式管道」的參考書目則高達6成之多。表7-17詳細說明屬於正式管道和非正式管道的參考書目來源，其中正式的溝通管道包括「光碟資料庫檢索」、「圖書館OPAC」、「查詢他館OPAC」、「由其他地方查詢Dialog系統」、「圖書館之參考工具書」、「從Internet取得」、及「本實驗之線上檢索（Dialog）所得」等七種不同類型的正式資訊系統，其餘參考書目來源都屬於「非正式管道」。本研究中關於「正式管道」與「非正式管道」的實證結果與其他學者的發現類似（即非正式管道的使用率遠高於正式管道），但由於引用文獻僅標註書目性資料，因此「非正式管道」的資訊使用仍有被大量低估的可能性。

表 7-17：正式管道與非正式管道之參考書目來源表

正式管道	
來　源	次數
◆光碟資料庫檢索	270
◆圖書館 OPAC	42
◆查詢他館 OPAC	22
◆由其他地方查詢 Dialog	14
◆圖書館之參考工具書	9
◆從 Internet 取得	3
◆本次檢索所得	97
總　計	457
非正式管道	
來　源	次數
◆由其他文獻的參考書目得知	381
◆教師提供之參考書目或教科書	94
◆由同學或學長口中得知	58
◆定期翻閱新到期刊	51
◆原先已有之文獻	40
◆架上瀏覽或新書展示架	37
◆學長姐弟妹的論文	12
◆為該實驗室曾發表的作品	10
◆翻閱會議論文所得	9
◆研究室藏書	8
◆該學域經典之作或核心期刊	6
◆自己買的資料	6

表 7-17：正式管道與非正式管道之參考書目來源表（續一）

非正式管道	
來　源	次數
◆指導教授所發表的文獻	4
◆文章作者所提供	3
◆已知的期刊專刊	2
◆自我引用之文獻	2
◆專題演講之講稿	1
總　計	724

事實上，研究資訊尋求行爲的文章多指出，取得難易程度是影響讀者選擇資訊來源的最主要因素，資訊本身的品質反而是資訊需求者次要的考慮。一般而言，從非正式管道的出現頻率遠高於正式管道，就可以證實一般讀者的確是以取得的難易程度作爲選擇資訊的首要考量。在本研究中，前八名的管道中有六項爲非正式管道，外加一些排名較後的個人藏書、研究室藏書、指導教授、同學或該實驗室發表的論文等，足見取得難易程度對資訊使用的高度影響。

除取得程度外，資訊系統的親和力（ user-friendly ）及其容易使用程度（ ease of use ），也是讀者選擇資訊管道的重要考慮因素。一般而言，光碟系統即是親和力較強且容易使用的資訊系統，因此得以成爲本研究中排名第二之參考書目來源。同時，線上公用目錄的出現，使卡片目錄不再成爲本實驗之書目來源，外加圖書館參考工具書的使用率亦偏低，更可證實容易使用且高親和力的資訊系統，往往會成爲使用者青睞的對象。所以，就提供類似資訊之不同資訊系統而言，其親和力往往是影響讀者選擇系統的決定性因素。

本書的實證部分雖然詳細分析報告撰寫者之引用書目來源，但由於書目資訊只是眾多參考資訊的來源之一，因此引用書目無法完全反映讀者曾經使用之所有非正式管道，例如許多意見討論和腦力激盪等，所以本節事實上只是探討書目資料來源，稱其爲資訊使用來源則有言過其實之虞。

雖說本節僅研究參考書目的來源，但還是可以發現「最省力原則」（ least effort principle ）是資訊需求者選擇資訊來源的最高指導原則，「最佳品質原則」（ best quality principle ）只是一種理想狀況。因此，對任何資訊系統而言（包括圖書館所提供的各種服務），都應該加強其親和力和可獲性，只有在資訊需求者樂於使用的情況下，才有可能將更多相關資訊呈現在使用者眼前，真正提高溝通的效益。

附　註

註 1　Stephen P. Harter, "Psychological Relevance and Information Science," Journal of the American Society for Information Science 43:9 (1992), pp.612-613.

註 2　Sara J. Penhale and Nancy Taylor, "Integrating End-user Searching into a Bibliographic Instruction Program," RQ 26 (Winter 1986), pp.212-220.

註 3　Patrick Wilson, "Unused Relevant Information in Research and Development," Journal of the American Society for Information Science 46:1 (1995), p.45.

註 4　Ibid., pp.45-47.

註 5　Ibid., p.47.

註 6　Ibid., p.46.

註 7　Patrick Wilson, "The Value of Currency," Library Trends 41 (1993), pp.632-643.

註 8　D. C. Blair and M. E. Maron, "An Evaluation of Retrieval Effectiveness for a Full-text Document-Retrieval System," Communication of the ACM 28:3 (1985), pp.289-299.

D. C. Blair and M. E. Maron, "Full Text Information Retrieval : Further Analysis and Clarification," Information Processing & Management 26:3 (1990), pp.437-447.

註 9 Marilyn Domas White, "Communication Behavior of Academic Economists" (Ph. D. diss., University of Illinois at Urbana-Champaign, 1971).

Marilyn Domas White, "The Communication Behavior of Academic Economists in Research Phases," Library Quarterly 45:4 (October 1975), pp.337-354.

第八章 結論

值此二十世紀之九〇年代，相關再度成爲資訊科學的顯學之際，如何站在前人累積的研究成果上，利用最新的資訊科技，進行更多的理論性與實證型研究，已成爲圖書資訊界學者之共識。事實上，國內有關相關之研究並不多，近年來才逐漸受到重視，因此建立以國人爲研究對象之理論與實證型研究，並藉此建立適合國人使用之資訊系統，更顯得格外重要。

本書即從理論與實證二個不同的觀點研究相關概念。在理論方面，首先介紹以相關爲核心的資訊檢索五大基本概念，其次介紹相關概念之歷史、發展、及其實證型研究結果，而後探討相關概念在系統評估上的應用、爭議、及其所帶來的省思。在實證方面，本書分爲二大部分探討，第一部分的重點在描述資訊需求者相關判斷的結果，除實際分析訪問所得之每一次相關判斷評級、瀏覽欄位、判斷依據、和所耗費時間外，並企圖探討可能影響相關判斷結果之因素。第二部分則從引用文獻的角度探討心理相關，試圖了解檢索所得書目和實際引用書目間的差異。由於線上檢出書目被判斷爲相關者高達六成，而其中只有 6.2 ％被列爲文後引用書目，因此本研究設法了解相關書目不被引用的原因，並系統化地探討其他非線上檢索書目之來源，企圖深入研究相關概念和讀者使用間微妙而複雜的關係。

第一節 研究相關概念的意義

相關概念在資訊檢索中之所以位居核心概念，主要是由於資訊系統的目的在檢索相關資訊，及系統評估所使用的測量值大多是相關導向的回收率和精確率等因素所造成。因此，如果依照 Wilson 的說法，將「資訊」、「關於」、「相關」、「需求」、和「用途」視爲資訊檢索之五大基本概念（註 1），此五大概念實以相關爲核心互相貫串。具體而言，在資訊儲存與檢索系統中，由於系統所檢出之資訊必須是相關或有用的，因此「資訊」、「相關」、和「用途」三概念事實上已合而爲一。再者，由於目前資訊系統的操作方式，是將代表資訊「需求」的詞彙與描述文章所「關於」主題之詞彙進行比對，因此「需求」和「關於」二概念也與其他三個概念產生密不可分的關係。正因如此，「相關」概念在資訊檢索中之重要性是無庸置疑的。

相關研究的歷史源遠流長，早在 1950 年代，大型的理論型和實證型研究即不斷地投入，但截至今日，學者們還是無法成功地定義相關概念。雖說目前相關尚未形成一致公認的定義，不過由其定義上的蛻變，還是可以看出相關概念的成長和發展的方向。大致而言，相關概念歷經「主題相關」、

「邏輯相關」、「情境相關」而演進至「心理相關」，從最早的主題相關概念出發，若沿用 Cuadra 和 Katter 最廣為人知的定義:「相關是資訊條件敘述(即輸入系統之檢索問題)和文章內容間之一致性，亦即文章所涵蓋的內容對資訊條件敘述的適合程度」（註 2），可以發現目前操作資訊系統的模式尚停滯於上述定義而未能突破。換言之，現今最典型的資訊系統仍然是以詞彙來表達資訊條件敘述，而文章內容也是透過詞彙標示，因此只要二者的詞彙互相吻合，此文章即被系統視為相關文章。

而後相關加入推理的概念，發展至邏輯相關，依照 Cooper 的定義，文件中只要包含構成資訊需求之最小前提組，此文件即可被判斷為相關文章。（註 3）但由於可以滿足同一資訊需求之最小前提組本身即已包羅萬象，再加上邏輯相關推理的本質，找出最小前提組所有不同的表達方式及其組合，幾乎是不太可能達成的目標，因此目前的資訊系統尚無能力以此定義操作系統。至於 Wilson 所提出之情境相關，其本質是一種邏輯相關，不但融入證據相關的概念，還將相關考慮的範圍擴展至個人認知狀態及知識狀態。（註 4）至此，相關已由靜態概念演變至動態概念，這種動態概念和考慮個人認知狀態的觀點，與今日系統設計之理念不謀而合。然而，除延續邏輯相關即已存在的問題外，情境相關還加上描述個人認知狀態的難題，所以將此種相關概念應用在系統設計上更是難上加難。

至於 Harter 所提出之心理相關，其所指為產生文字關聯效果之現象，換言之，心理相關之資訊為能夠改變個人認知狀態之資訊。（註 5）在此假設下（改變個人知識狀態或產生文字關聯效果之資訊即為相關資訊），引用文獻正是心理相關資訊最好的來源之一，因為一般作者引用之書目，必為改變其知識狀態或是產生文字關聯效果之書目，如此不但可將書目計量學與資訊檢索合流，也可將「相關」與「使用」二大概念緊緊結合。不過，心理相關延續邏輯相關和情境相關未能解決的問題，除考慮最小前提組的各種組合及個人知識狀態外，還必須加上改變知識狀態的各種考量，如此將使資訊系統的設計更為複雜，因此短期內不可能產生以此定義操作之資訊檢索系統。

至於影響相關判斷的可能因素，學者們在此領域中亦投入相當的時間精力，有人企圖找出所有影響相關判斷的變數，有人則深入探討某一特定變數對相關判斷所產生的影響。但由於相關判斷個人化及動態的本質，再加上實驗環境及變數在操控上的困難，很難明確指出影響相關判斷結果的所有變數，因此預測資訊需求者之相關判斷結果，還是一件不太可能達成的目標。然而，經過四十多年的努力，大致確定影響相關判斷之五大變因組，分別是（1）文件（包含文件與文件的陳述），（2）檢索問題陳述，（3）判斷情境，（4）判斷的尺度，及（5）判斷者等。（註 6）學者們充其量只能在研究的重點或變數的增減上加以變化，無法對上述類表有具體的突破。

本書理論部分的另一個重點在由系統評估的觀點來審視相關。一般而言，由於現今系統評估最常使用的評估標準是回收率和精確率二個相關導向之測量值，因此系統評估和相關概念產生密不可分的關係。然而，在評估資訊系統時，並不是非使用回收率與精確率不可。事實上，檢索效益並不專指檢出文章之相關性，也可能指其正確性或利用性，但由於相關概念在其成長過程中，不斷地吸收其他學說之精華（如效用派等），因此目前慣以「相關」一詞來代替檢索效益。正因如此，本書詳加介紹各種評估系統的測量值，不管其隸屬於相關派、效用派、或其他學派，希望讀者能真正明白系統評估的意義，並繼續努力找出更合適之測量值。

大致而言，討論系統評估的學者可分爲相關和效用二大門派，而效用派能在過去佔有一席之地，即表示其理論一定有過人之處；至於效用派的地位在今日逐漸式微，除了其學理已逐漸融入相關學派外，更可能的原因是效用派一直無法找出令人口服心服的量化標準， Cooper 的預期檢索長度雖然深富哲理，但其複雜難懂也是不爭的事實。其實，相關派和效用派一樣，學者對相關概念亦缺乏公認一致的定義，只是其用來評估系統的測量值（回收率和精確率）簡單易懂，再加上相關動態的本質有助於其吸收其他理論繼續成長，因此相關派才能超越效用派而成爲系統評估的主流。

除了解相關概念在系統評估的關鍵地位外，許多大型系統的評估研究一再帶來發人深思的結果。三十多年來，不同的資訊系統（不管是 Cranfield 研究或是 Salton 之 SMART 系統）、不同的檢索問題、不同的相關判斷，但所得到的研究結果卻大致相同，實驗結果一再證實控制詞彙的表現比不上關鍵字的事後組合。大致而言，此結果象徵圖書館界長期使用的整理組織資訊的方式必須重新檢討，雖說其研究結果嚴重損及圖書館員的專業地位，但與其質疑上述研究結果，不如努力思索更好的整理組織資訊的新方式。事實上，內容分析在資訊時代的重要性無庸置疑，圖書資訊界過去整理組織資訊的方式可能不盡完善，但其卻是最有實力發展出最佳整理組織資訊方法之專業，因此只要圖書館界能產生更好的整理組織資訊的方式，其成爲資訊時代最具生命力的行業是指日可待的。

第二節　相關判斷之特色

本書的實證部分試圖在半自然的研究環境中分析相關判斷的本質，所採用的研究方法大致上以定量法爲主，利用一些基本統計來描述相關判斷的特性。整體而言，本研究共有 33 位檢索者，他們總共完成了 41 次檢索和 40 份報告，其中檢索所得書目計有 1557 筆，而其報告所附之參考書目則有 1185 篇。由於資訊需求者總共檢出 1557 筆資料，因此其總計進行 1557 次相關判斷。至於相關判斷的結果，如果依二元式測量尺度劃分，其中相關的資料筆數爲938篇，佔60.3％，而不相關的資料筆數則爲619篇，佔39.7％。換言之，約有六成的檢索所得書目被資訊需求者視爲相關書目，僅四成的書目被判斷爲不相關書目；如果依四段式評量尺度來看相關判斷的結果，在938篇被視爲相關之書目中，可更進一步劃分爲「非常相關」之219篇書目（14.1％），「相關」之329篇書目（21.1％）及「部分相關」之390篇書目（25.1％），顯示資訊需求者判斷成「非常相關」的文章實際並不多（不到15％），這很可能是檢出書目之被引用率只有6.2％的重要原因之一。

至於資訊需求者在進行相關判斷時所瀏覽之欄位，一般而言，其最常瀏覽題名欄位（98.4％），其次依序爲摘要欄位（38.3％）、來源欄位（25.8％）、作者欄位（15.2％）和敘述語欄位（14.6％）。然而，資訊需求者判斷相關所依據之欄位和其所瀏覽之欄位略有不同，其據以判斷相關欄位之使用次數依序爲題名（72.6％）、摘要（30.8％）、敘述語（10.0％）、來源（1.5％）、作者（1.4％）及關鍵字（0.1％）。由此可知，題名是資訊需求者進行相關判斷的首要選擇，不過其所提供之資訊可能過於簡單，不足以完全勝任相關判斷之工作，因此摘要往往是補充題名資訊不足的最好來源，所以資訊需求者一旦閱讀摘要欄位，就有很高的比例會據此欄位作出相關判斷的決策。此外，敘述語欄位的使用情形和摘要欄位頗爲類似，其被瀏覽之比率遠不及題名，但其一旦被閱讀，很可能就是據以判斷相關的欄位。至於作者和來源欄位，仍有相當之被瀏覽的可能性，但除少數對檢索主題領域十分熟悉之資訊需求者外，會依據作者和來源判斷相關的情形實在不多。

至於相關判斷所花費的時間，本研究中之資訊需求者平均需要 17.81 秒才能完成一次相關判斷，比黃雪玲所得之實驗結果精短許多（29.11 秒）。（註 7）然而，相關判斷所花費的時間，其個別差異相當大，資訊需求者可以在一秒內完成一次相關判斷，也可以花上 5 分半鐘進行一次相關判斷。同時，單純的相關判斷耗時較短，因此不管是判斷成「非常相關」或「不相關」的文章，所花費的時間都比較短，而需要斟酌考慮的判斷則需要較長的時間，因此含糊猶豫性最高的「部分相關」，由於其介於「相關」與「不相關」之邊際，需要時間思考才有可能作出決策，所以花費在此類型相關判斷的時間也隨之增長。

由於相關判斷的結果和檢索者所處的情境有相當大的關聯，因此利用情境變數來預測相關判斷的結果，其成功率往往較超越時間空間之非情境變數爲高，而本研究所探討之情境變數包含檢索者之電腦經驗及資訊檢索經驗、其對檢索主題之熟悉程度、檢索準備時間、檢索前所掌握之相關文章筆數、所需相關文章筆數、預測相關文章存在的可能性、及找到這些相關文章的機率等。然而，研究結果僅證實使用資訊系統的經驗與相關判斷之結果較爲相關，其他情境變數對相關判斷之影響均不大，但是在研究目的及研究階段上，本研究發現自行研究者雖然判斷出最多相關文章，不過其精確率卻最低；而屬於前期研究階段之資訊需求者，由於研究主題與焦點較不確定，因之相關判斷結果較為鬆散，容易判斷出較多相關文章，精確率也隨之較高。這些研究結果充分顯示出影響相關判斷變因之多元化及相關之動態本質，因此預測或掌握資訊需求者相關判斷的結果，還需要更多實證型研究才有可能達成。

第三節　心理相關之應用極限

相關概念由早期之「主題相關」，歷經「邏輯相關」及「情境相關」，進而發展至「心理相關」，充分顯示出相關概念動態和個人化的本質。事實上，心理相關不僅是結合書目計量學和資訊檢索，更可以視為「使用」概念和「相關」概念的融合，因為作者引用之書目理應為改變其知識狀態或產生文字關聯之書目，而不論是改變知識狀態或是產生文字關聯之資訊，皆是 Harter 所謂心理相關之資訊。因此，在心理相關的假設下，理想的線上檢索系統應該檢索出資訊需求者最後引用的書目。然而，在本研究所蒐集的 40 篇報告中，總計有 1185 篇參考書目，其中僅有 97 篇為線上檢索所得之書目，其引用率只有 6.2 %，比 Penhale 和 Taylor 研究所得之引用率（ 25 %）更低。（註 8）若以檢出之 938 篇相關書目爲基礎，其引用率也只有 10.3 %，因此本研究所得之低引用率，除證實相關動態與變化的本質外，更可能爲心理相關本身的局限性所造成。

爲了解相關書目不被引用的原因，本研究特別以訪問法調查其原因。本研究中總共有 938 篇相關文章，扣掉判斷爲相關且被引用之 95 筆書目，總計有 843 篇相關但未被引用之書目，分別由十七種原因所造成，其中最重要的六種原因的發生次數均超過 40 次，分別爲「找到文章後，發現其研究焦點與本研究無關」、「找不到原文」、「因研究題目的重點稍有轉變，所以不引用」、「根本沒有時間找出此文獻」、「當時太匆促，判斷錯誤，實爲不相關」、及「當作背景知識」等。其中排名第一之「找到文章後，發現其研究重點與本研究無關」及排名第三之「因研究題目的重點稍有轉變，所以不引用」，都是因爲研究重點改變而不引用該書目，此結果充分顯示出資訊需求之動態本質及資訊需求者的認知及知識狀態不斷變化的特色。至於排名第二之「找不到原文」及排名第四之「根本沒有時間找出此文獻」，可視爲取得難易程度決定其是否使用的最好證明。排名第五之「當時太匆促，判斷錯誤，實爲不相關」則是情境變數影響資訊使用之最佳實例；而排名第六之「當作背景知識」則與個人引用習慣有關，在同樣的情況下，有些作者會標註引用文獻，有些作者則否。

Wilson 爲少數探討相關文獻不被使用的學者之一，比較其所歸納綜合之原因及筆者實證研究所發現之原因，除一些和個人引用習慣有關的原因外，其餘所有原因都十分吻合。換言之，本研究之實證結果意外證實了 Wilson 所提出之假設性理論。一般而言， Wilson 認爲資訊不被使用的原因可分爲「資訊超載」和「政策性不被使用」二大類，再加上其所提出之「未曾發現的資訊」及「新穎性」，即可構成 Wilson 理論之主要架構。（註 9）據此，本研究中排名前六名的相關文章不被引用的原因，除第六名之「當作背景知識」和個人引用習慣有關外，排名第一之「找到文章後，發現其研究焦點與本研究無關」、及排名第三之「因研究題目的重點稍有轉變，所以不引用」是屬於政策性不被使用之「研究領域」範疇；排名第二之「找不到原文」可被歸入「未曾發現的資訊」；而排名第四之「根本沒有時間找出此文獻」及排名第五之「當時太匆促，判斷錯誤，實爲不相關」，則可歸入「資訊超載」的範疇內。總體而言，本研究中總共有 843 篇相關而未被引用的書目，其分別由十七種不同的原因所造成，其中計有十三種原因所造成的 762 篇相關而未被引用的書目，可被融入 Wilson 所發展出的理論中，亦即高達 90 %的書目和 76 %的原因可以涵蓋在其理論中，因此可謂相當成功的模型測試。

本研究中非線上檢索所得的參考書目高達 1088 篇，若能找出這些參考書目的來源，對了解讀者資訊使用的真相勢必頗具貢獻。根據資訊需求者其報告所附之書目可以發現，參考書目的最大來源依序爲「由其他文獻的參考書目得知」、「光碟資料庫檢索」、「教師所提供之參考書目或教科書」、「由同學或學長口中得知」、「定期翻閱新到期刊」、「圖書館 OPAC 」、及「原先已有之文獻」等七種，其發生頻率均高於 40 次，約佔所有來源之 80 %。其中參考書目的最大來源爲「由其他文獻的參考書目得知」，充分透露出國人最爲依賴的資訊尋求模式爲「引用文獻滾雪球法」，只要找到幾篇相關文章，即可根據這些「珍珠」的引用文獻，找出更多的相關文獻。第二大參考書目來源爲「光碟資料庫檢索」，由於光碟資料庫操作簡便且可快速取得主題相關之文獻，雖說其屬於正式管道，卻仍是讀者的主要選擇之一。總體而言，本研究中非正式管道的使用量雖然略高於正式管道，但人際溝通的情況卻不如預期中普遍，這很可能是由於引用文獻通常僅止於標註書目性資料所造成。不過，由親和力及容易使用的資訊系統較容易成爲參考書目來源的傾向看來，資訊系統惟有加強其親和力和取得程度，讓資訊需求者樂於使用，才有可能達成將所有相關資訊提供讀者使用的目標。

事實上，心理相關在先天上即有缺陷，雖說其嘗試將「使用」概念與「相關」概念結合，但由於「使用」並不等於「引用」，因此以引用文獻的角度來看資訊使用，難免犯了以偏概全的錯誤。一般而言，在研究的過程中，許多人際溝通和非正式資訊管道，例如意見的交換和腦力激盪等，因爲其爲非書目資訊，通常不會出現在文後的引用書目中，但並不表示這些資訊未曾被使用過。正因如此，Harter 認爲心理相關是產生知識狀態改變或文字關聯效果之現象，應該是非常合理的說法；但其將引用文獻與心理相關之資訊混爲一談，則有商榷的必要。事實上，引用文獻只能視爲所有心理相關資訊的一部分，若要檢出所有心理相關之資訊，引用文獻索引法只是其中的途徑之一。換言之，Harter 之心理相關在理論上雖然正確無誤，不過其透過心理相關的概念將資訊檢索和書目計量學結合的作法，很容易成爲心理相關的致命傷。再者，引用文獻是相當個人化的行爲，爲了某些特殊動機，一定會有引用非心理相關文獻的情況出現，因此更加凸顯將引用文獻視爲心理相關文獻的爭議。

第一章中曾提及資訊系統的主要目的是在提高溝通的效果，而提供所有相關資訊正是提昇溝通效益的關鍵，因此不管是任何原因所造成的相關資訊之不被引用，應該都會降低溝通效果。然而，在決策或研究過程中，往往不見得需要所有相關資訊，況且考慮到每一個層面並不等於閱讀所有相關文獻，因爲同一層面的資訊可能會在數篇文章中同時提及，花費時間閱讀重複資訊反倒會降低溝通效益。上述二種不同的說法（決策或研究需要或不需要所有相關資訊）會帶給資訊檢索領域截然不同的思考模式，如果需要所有相關資訊才能發揮最大的溝通效果，那相關資訊的不被使用應被視爲須極力避免的錯誤；如果不需要所有相關資訊即可使溝通的效果極大化，那相關資訊之不被使用應被視為一種合理的決策或研究策略。（註 10）在需要所有相關資訊的假設下，理想的資訊系統應該找出所有相關資訊，因此資訊需求者必須再次蒐尋未被找出的相關資訊，以避免因遺漏相關資訊所產生的損失；在不需要所有相關資訊的假設下，將資訊依照各種情境之優先順序進行排序則屬必要，因為理想資訊系統的目的不在於提供所有相關資訊，而在於有效地選擇、過濾和評估資訊，將資訊區分為需要的相關資訊（indispensable relevant information）和不需要的相關資訊（dispensable relevant information）（註 11），而系統僅需提供使用者需要的相關資訊作為其決策及研究上的參考即可。事實上，上述問題是資訊科學中亟須界定的基本問題之一，如果資訊系統的目的不再被定位為尋找所有相關資訊，不但相關概念必須重新定義，其對系統評估領域也將有革命性的影響。所以，對研究者而言，不僅需要研究資訊使用的問題，資訊的不使用（尤其是相關資訊之不被使用）也是一個亟待開發的研究領域。因此，單從相關的概念來探討相關顯然是不夠的，必須像早期學者一樣，從不相關的角度來探討相關，才能窺得相關概念的全貌。

相關概念的研究歷史已逾四十年，主題相關的局限性是公認的事實，其必須考慮情境變因和個人認知觀點也獲得共識，但此領域還是有太多尚待解決的問題，例如上述是否需要找出所有相關文獻的爭議，就是一個值得探討的定位問題。如果承認遲來的資訊和未曾發現的資訊都是溝通上普遍存在的現象，就必須知道這二種未被使用的相關資訊對溝通所產生的負面影響。然而在資訊科學中，不只是未被使用之相關資訊的負面效益，每一篇相關文章所能產生的正面溝通效益，也是亟待研究的問題。換言之，如果能正確地估算每一筆相關資料所產生的溝通效益（不管其為正面或負面），很多屬於資訊科學的操作型定義即可應之而生，其研究典範也會徹底改變；但由於文章彼此的替代性和非絕對需要的性質，外加個人認知狀態不斷改變的事實，距離將相關量化的理想還有相當遙遠的距離。

總而言之，資訊科學的典範尚未完全形成，學者們對其用以溝通討論的名詞也缺乏一致的定義，因而直接或間接影響到資訊科學的成長。本書的主要目的在探討資訊科學的核心概念－－相關概念，雖然無法達成定義相關的目標，但對相關概念形成的歷史、發展的方向、觀念的釐清、及實證數據的解釋都有具體的陳述，希望能藉此喚起國人對相關研究的重視，建立本土化的相關研究，進而設計出適合國人使用之資訊檢索系統，以提昇國人在資訊時代的競爭力。

附　註

註 1　Patrick Wilson, "Some Fundamental Concepts of Information Retrieval," Drexel Library Quarterly 14:2 (April 1978), pp.10-24.

註 2　Carlos A. Cuadra and Robert V. Katter, Experimental Studies of Relevance Judgments: Final Report. I: Project Summary (Santa Monica, Calif. : System Development Corporation, 1967), p.51. NSF Report No. TM-3520/001/00.

註 3　William S. Cooper, "A Definition of Relevance for Information Retrieval," Information Storage & Retrieval 7 (1971), pp.19-37.

註 4　Patrick Wilson, "Situational Relevance," Information Processing & Management 9 (1973), pp.457-471.

註 5　Stephen P. Harter, "Psychological Relevance and Information Science," Journal of the American Society for Information Science 43:9 (1992), pp.602-615.

註 6　Tefko Saracevic, "The Concept of 'Relevance' in Information Science: A Historical Review," in Introduction to Information Science, ed. Tefko Saracevic (N.Y. : Bowker, 1970), pp.111-151.

註 7　黃雪玲，「資訊需求者與次判斷者相關判斷之比較研究」（國立台灣大學圖書館學研究所，碩士論文，民 84 年 6 月），頁 78。

註 8　Sara J. Penhale and Nancy Taylor, "Integrating End-user Searching into a Bibliographic Instruction Program," RQ 26 (Winter 1986), pp.212-220.

註 9 Patrick Wilson, "Unused Relevant Information in Research and Development," Journal of the American Society for Information Science 46:1 (1995), pp.45-51.

Patrick Wilson, "Communication Efficiency in Research and Development," Journal of the American Society for Information Science 44:7 (1993), pp.376-382.

Patrick Wilson, "The Value of Currency," Library Trends 41:4 (1993), pp.632-643.

註10 Wilson, "Unused Relevant Information in Research and Development," op. cit., pp.47-50.

註11 Ibid., p.50.

參考書目

一、中文部分

吳美美。「言談分析和資訊檢索互動研究」。教育資料與圖書館學 30卷4期（民82年6月），頁340-350。

呂春嬌。「相關概念在資訊檢索中之發展與趨勢」。圖書與資訊學刊 16期（民85年2月)，頁21-32。

李志鍾撰；辜瑞蘭譯。「電子時代多媒體資源的資訊檢索」。國立中央圖書館館訊 12卷2期（民79年5月），頁4-8。

李德竹編著。圖書館學暨資訊科學詞彙。台北市：文華，民82年。

周曉雯。「線上檢索結果之評估」。書府 12期（民80年6月），頁108-125。

林麗君。「線上資訊檢索方式的發展趨勢」。網路通訊雜誌 21期（民82年4月），頁108-111。

陳穆怡。「讀者相關判斷行爲之研究」。美國資訊科學學會台北學生分會會訊 第八期 （民 84 年 9 月），頁 55-74。

黃雪玲。「資訊需求者與次判斷者相關判斷之比較研究」。國立台灣大學圖書館學研究所，碩士論文，民 84 年 6 月。

--------。「資訊檢索中『相關』概念與『相關判斷』」、美國資訊科學學會台北學生分會會訊 第六期（民 82 年 6 月），頁 84-106。

黃慕萱。「終端使用者之線上修改行爲探討」。資訊傳播與圖書館學 1 卷 4 期（民 84 年 6 月），頁 53-70。

--------。「終端使用者之線上錯誤行爲探討」。中國圖書館學會會報 54 期（民 84 年 6 月），頁 33-47。

--------。「終端使用者在線上檢索時的錯誤行爲分析」。行政院國家科學委員會專題研究計畫成果報告（民 83 年 1 月）。

--------。「線上檢索時使用者問題初探」。圖書與資訊學刊 11 期（民 83 年 11 月），頁 16-21。

--------。「線上檢索類型之研究」。資訊傳播與圖書館學 1 卷 1 期（民 83 年 9 月），頁 39-49。

蔡明月。「論線上目錄之主題檢索」。教育資料與圖書館學 33 卷 1 期（民 84 年 9 月），頁 53-67。

--------。線上資訊檢索：理論與實務。台北市：台灣學生，民 80 年。

謝清俊。「全文檢索的方法」。計算中心通訊 4 卷 16 期（民 77 年 8 月），頁 133-138。

二、英文部分

Aigrain, Philippe, and Vèronique Longueville. "Evaluation of Navigational Links between Images." Information Processing & Management 28:4 (1992), pp.517-528.

Barhydt, Gordon C. "The Effectiveness of Non-user Relevance Assessments." Journal of Documentation 23 (1967), pp.146-149, 251.

Barry, Carol L. "User-Defined Relevance Criteria: An Exploratory Study." Journal of the American Society for Information Science 45:3 (April 1994), pp.149-159.

Beaulieu, Micheline, Stephen Roberston, and Edie Rasmussen. "Evaluating Interactive Systems in TREC." Journal of the American Society for Information Science 47:1 (January 1996), pp.85-94.

Bellardo, Trudi. "An Investigation of Online Searcher Traits and Their Relationship to Search Outcome." Journal of the American Society for Information Science 36:4 (July 1985), pp.241-250.

Blair, David C. "STAIRS Redux: Thoughts on the STAIRS Evaluation, Ten Years after." Journal of the American Society for Information Science 47:1 (January 1996), pp.4-22.

Blair, David C., and M. E. Maron. "An Evaluation of Retrieval Effectiveness for a Full-text Document-Retrieval System." Communication of the ACM 28:3 (1985), pp.289-299.

--------. "Full Text Information Retrieval : Further Analysis and Clarification." Information Processing & Management 26:3 (1990), pp.437-447.

Bookstein, Abraham. "Relevance." Journal of the American Society for Information Science 30:5 (September 1979), pp.269-273.

Boyce, Bert. "Beyond Topicality: A Two Stage View of Relevance and the Retrieval Process." Information Processing & Management 18:3 (1982), pp.105-109.

Bruce, Harry W. "A Cognitive View of the Situational Dynamism of User-Centered Relevance Estimation." Journal of the American Society for Information Science 45:3 (April 1994), pp.142-148.

Buckland, Michael K. "Relatedness, Relevance and Responsiveness in Retrieval Systems." Information Processing & Management 19:3 (1983), pp.237-241.

Buckland, Michael K., and Fredric Gey. "The Relationship between Recall and Precision." Journal of the American Society for Information Science 45:1 (January 1994), pp.12-19.

Cleveland, Donald B., and Ana D. Cleveland. Introduction to Indexing and Abstracting. 2d ed. Englewood: Libraries Unlimited, 1990.

Cleverdon, Cyril W. "The Crandfield Tests on Index Language Devices." Aslib Proceedings 19:6 (1967), pp.173-194.

--------. Report on the First Stage of an Investigation into the Comparative Efficiency of Indexing Systems. Cranfield, 1960.

Cleverdon, Cyril W., and J. Mills. "The Testing of Index Language Devices." Aslib Proceedings 15:4 (1963), pp. 106-130.

Cooper, William S. "A Definition of Relevance for Information Retrieval." Information Storage and Retrieval 7:1 (June 1971), pp.19-37.

--------. "Expected Search Length: A Single Measure of Retrieval Effectiveness Based on the Weak Ordering Action of Retrieval System." American Documentation 19:1 (January 1968), pp.30-41.

--------. "A Perspective on the Measurement of Retrieval Effectiveness." Drexel Library Quarterly 14:2 (April 1978), pp.25-39.

--------. "On Selecting a Measure of Retrieval Effectiveness: Part I. The 'Subjective' Philosophy of Evaluation." Journal of the American Society for Information Science 24:2 (March/April

1973), pp.87-100.

--------. "On Selecting a Measure of Retrieval Effectiveness: Part II. Implementation of the Philosophy." Journal of the American Society for Information Science 24:6 (November/December 1973), pp.413-424.

Cuadra, Carlos A., and Robert V. Katter. "Opening the Black Box of 'Relevance'." Journal of Documentation 23:4 (1967), p.291-303.

--------. Experimental Studies of Relevance Judgments: Final Report. I: Project Summary. Santa Monica, Calif. : System Development Corporation, 1967. NSF Report No. TM-3520/001/00.

David, Davidson. "The Effect of Individual Differences of Cognitive Style on Judgments of Document Relevance." Journal of the American Society for Information Science 28:5 (September 1977), pp.273-285.

DeHart, Florence E. "Topic Relevance and Retrieval Effectiveness." International Classification 10:1 (1983), pp.9-14.

Derr, Richard L. "A Conceptual Analysis of Information Need." Information Processing & Management 19:5 (1983), pp.273-278.

Dervin, B. "Information as a User Construct: The Relevance of Perceived Information Needs to Synthesis and Interpretation." In Knowledge Structure and Use: Implication for Synthesis and Interpretation, ed. Spencer A. Ward and Linda J. Reed, pp.153-183. Florida : Temple University Press, 1983.

Dervin, B., and Michael Nilan. "Communication Gaps and Inequities: Moving Toward a Reconceptualization." In Program in Communication Science, vol. 2, ed. B. Dervin, pp.73-112. Norwood, N.J. : Albex Publication, 1980.

Diesing, Paul. Patterns of Discovery in the Social Science. Chicago: AldineAtherton, 1971.

Dimitroff, Alexandra. "Mental Models Theory and Search Outcome in a Bibliographic Retrieval System." Library and Information Science Research 14:2 (1992), pp.141-156.

Eills, David. "The Dilemma of Measurement in Information Retrieval Research." Journal of the American Society for Information Science 47:1 (January 1996), pp.23-36.

Eisenberg, Michael B. "Measuring Relevance Judgment." Information Processing & Management 24:4 (1988), pp.373-389.

Eisenberg, Michael B., and Carol Barry. "Order Effects: A Preliminary Study of the Possible Influence of Presentation

Order on User Judgments of Doucjent Relevance." In Proceedings of the 49th Annual Meeting of the American Society for Information Science Chicago, Illinois, September 28 - October 2, 1986, edited by Julie M. Hurd and Charles H. Davis, pp.80-86. Medford, N.J. : Learned Information, 1986.

--------. "Order Effects: A Study of the Possible Influence of Presentation Order on User Judgments of Document Relevance." Journal of the American Society for Information Science 39:5 (September 1988), pp.293-300.

Eisenberg, Michael B., and Xiulan Hu. "Dichotomous Relevance Judgments and the Evaluation of Information Systems." In Proceedings of the 50th Annual Meeting of the American Society for Information Science, October 1987, edited by Ching-chih Chen, pp.66-70. Medford, N.J. : Learned Information, 1987.

Fidel, Raya. "Qualitative Methods in Information Retrieval Research." Library and Information Science Research 15:3 (Summer 1993), pp.219-247.

--------. "The Case Study Method: A Case Study." Library and Information Science Research 6:3 (1984), pp.273-288.

Figueiredo, Regina C. "Estudo Comparativo de Julgamentos de Relevancia do Usuario e Nao-Usuario de Servicos de D. S. I."

Ciencia da Informacao--Rio de Janeiro 7 (1978), pp.69- 78.

Froehlich, Thomas J. "Relevance Reconsidered--Towards an Agenda for the 21st Century: Introduction to Special Topic Issue on Relevance Research." Journal of the American Society for Information Science 45:3 (April 1994), pp.124-134.

--------. "Toward a Better Conceptual Framework for Understanding Relevance for Information Science Research." In Proceedings of 54th Annual Meeting of American Society for Information Science, Washington, D.C., October 27-31, 1991, vol. 28, edited by Jose-Marie Griffiths, pp.118-125. Medford, N.J. : Learned Information, 1991.

Green, Rebecca. "Topical Relevance Relationships. I. Why Topic Matching Fails." Journal of the American Society for Information Science 46:9 (1995), pp.646-653.

--------. "Topical Relevance Relationships. II. An Exploratory Study and Preliminary Typology." Journal of the American Society for Information Science 46:9 (1995), pp.654-662.

Grunig, James E. "An Axiomatic Theory of Cognition and Writing." Journal of Technical Writing and Communication 15:2 (1985), pp95-130.

Harman, Donna. "Evaluation Issues in Information Retrieval." Information Processing & Management 28:4 (1992), pp.439-

440.

Harter, Stephen P. Online Information Retrieval : Concepts, Principles, and Techniques. New York : Academic Press, 1986.

--------. "Psychological Relevance and Information Science." Journal of the American Society for Information Science 43:9 (1992), pp. 602-615.

Hersh, William. "Relevance and Retrieval Evaluation: Perspectives from Medicine." Journal of the American Society for Information Science 45:3 (April 1994), pp.201-206.

Hersh, William, and Jeffery Pentecost. "A Task-Oriented Approach to Information Retrieval Evaluation." Journal of the American Society for Information Science 47:1 (January 1996), pp. 50-56.

Howard, Dara Lee. "Pertinence as Reflected in Personal Constructs." Journal of the American Society for Information Science 45:3 (April 1994), pp.172-185.

--------. "What the Eye Sees While Predicting a Document's Pertinence from It's Citation." In Proceedings of the 54th Annual Meeting of the American Society for Information Science, Washington, D.C., October 27-31, 1991, vol. 28, edited by Jose-Marie Griffiths, pp.87-101. Medford, N.J. :

Learned Information, 1991.

Huang, Mu-hsuan. "Pausing Behavior of End-users in Online Searching." Ph.D. diss., University of Maryland, 1992.

Hull, David A. "Stemming Algorithms: A Case Study for Detailed Evaluation." Journal of the American Society for Information Science 47:1 (January 1996), pp.70-84.

Janes, Joseph W. "The Binary Nature of Continuous Relevance Judgments: A Study of Users' Perceptions." Journal of the American Society for Information Science 42:10 (December 1991), pp.754-756.

--------. "On the Distribution of Relevance Judgments." In Proceedings of the 56th Annual Meeting of the American Society for Information Science, Columbus, Ohio, October 24-28, 1993, edited by Susan Bonzi, pp.104-113. Medford, N.J. : Learned Information, 1993.

--------. "Other People's Judgments: A Comparison of Users' and Others' Judgments of Document Relevance, Topicality, and Utility." Journal of the American Society for Information Science 45:3 (April 1994), pp.160-171.

--------. "Relevance Judgments and the Incremental Presentation of Document Representations." Information Processing & Management 27:6 (1991), pp.629-646.

Janes, Joseph W., and Renée McKinney. "Relevance Judgments of Actual Users and Secondary Judges: A Comparative Study." Library Quarterly 62:2 (1992), pp.150-168.

Keen, E. Michael. "Presenting Results of Experimental Retrieval Comparisons." Information Processing & Management 28:4 (1992), pp.491-502.

Kuhlthau, Carol Collier. "Longitudinal Case Studies of the Information Search Process of Users in Libraries." Library and Information Science Review 10 (1988), pp.257-304

--------. "A Process Approach to Library Skills Instruction." School Library Media Quarterly 13:1 (Winter 1985), pp.35-40.

Lancaster, F. W. If You Want to Evaluate Your Library....Champaign, Ill. : Univ. of Illinois, Graduate School of Library and Information Science, 1988.

Lancaster, F. W., and others. "Evaluation of Interactive Knowledge-Based Systems: Overview and Design for Empirical Testing." Journal of the American Society for Information Science 47:1 (January 1996), pp.57-69.

Lanju, Lee Yoon. "The Performance of Cited References as an Approach to Information Retrieval." Journal of the American Society for Information Science 45:5 (1994), pp.287-299.

Ledwith, Robert. "On the Difficulties of Applying the Results of Information Retrieval Research to Aid in the Searching of Large Scientific Database." Information Processing & Management 28:4 (July/August 1992), pp.451-455.

Losee, Robert M. "Evaluating Retrieval Performance Given Database and Query Characteristics: Analytic Determination of Performance Surfaces." Journal of the American Society for Information Science 47:1 (January 1996), pp.95-105.

Marcus, Richard S., Peter Kugel, and Alan R. Benenfeld. "Catalog Information and Text as Indicators of Relevance." Journal of the American Society for Information Science 29:1 (January 1978), pp.15-30.

Maron, M. E. "On Indexing, Retrieval, and the Meaning of About." Journal of the American Society for Information Science 28:1 (January 1977), pp.38-43.

Marshall, Catherine, and Gretchen B. Rossman. Designing Qualitative Research. Newbury Park, Calif. : Sage Publications, c1989.

McGrath, William E. "Relationships between Hard/Soft, Pure/Applied, and Life/Nonlife Disciplines and Subject Book Use in a University Library." Information Processing & Management 14 (1978), p.17-28.

Mellon, C. C. Naturalistic Inquiry for Library Science. New York: Creen Word, 1990.

Ottaviani, J. S. "The Fractal Nature of Relevance: A Hypothesis." Journal of the American Society for Information Science 45:4 (1994), pp.263-272.

Park, Taemin Kim. "The Nature of Relevance in Information Retrieval: An Empirical Study." Ph. D. diss., Indiana University, 1992.

---------. "Toward a Theory of User-Based Relevance: A Call for a New Paradigm of Inquiry." Journal of the American Society for Information Science 45:3 (April 1994), pp.135-141.

Parker, Lorraine M. Purgailis, and Robert E. Johnson. "Does Order of Presentation Affect Users' Judgment of Documents?" Journal of the American Society for Information Science 41:7 (1990), pp.493-494.

Patton, Michael Quinn. Qualitative Evaluation and Research Methods. 2d ed. Newbury Park, Calif. : Sage Publications, c1990.

Penhale, Sara J., and Nancy Taylor. "Integrating End-User Searching into a Bibliographic Instruction Program." RQ 26 (Winter 1986), pp.212-220.

Rees, A. M., and D. G. Schultz. A Field Experimental Approach to the Study of Relevance Assessments in Relation to Document Searching. I: Final Report. Cleveland : Case Western Reserve University, 1967. NSF Contract No. C-423.

Robertson, S. E. "The Parametric Description of Retrieval Tests." Journal of Documentation 25:1 (1969), pp.1-27.

--------. "The Probabilistic Character of Relevance." Information Processing & Management 13:4 (1977), pp.247-251.

Robertson, S. E., and M. M. Hancock-Beaulieu. "On the Evaluation of IR Systems." Information Processing & Management 28:4 (1992), pp.457-466.

Salton, Gerard "A Comparison Between Manual and Automatic Indexing." American Documentation 20:1 (1969), pp.61-71.

--------. "The Evaluation of Automatic Retrieval Procedures : Selected Test Results Using the SMART System." American Documentation 16:3 (1965), pp.209-222.

--------. "Recent Studies in Automatic Text Analysis and Document Retrieval." Journal of the ACM 20:2 (1973), pp.258-278.

--------. The SMART Retrieval System : Experiments in Automatic Document Processing. Englewood Cliffs, N.J. : Prentice Hall, 1971.

--------. “The State of Retrieval System Evaluation.” Information Processing & Management 28:4 (1992), pp.441-449.

Salton, Gerard, and M. E. Lesk. “Computer Evaluation of Indexing and Text Processing.” Journal of the ACM 15:1 (1968), pp.8-36.

Salton, Gerard, E. A. Fox, and H. Wu. “Extended Boolean Information Retrieval.” Communication of the ACM 26:11 (1983), pp.1022-1036.

Saracevic, Tefko. “The Concept of Relevance in Information Science: A History Review.” In Introduction to Information Science, ed. Tefko Saracevic, pp.111-151. New York: Bowker, 1970.

--------. “Relevance: A Review of the Literature and a Framework for Thinking on the Notion in Information Science.” In Advances in Librarianship, vol. 6, ed. M. J. Voigt and M. H. Harris, pp.79-138. New York: Academic Press, 1976.

--------. “A Study of Information Seeking and Retrieving. II. Users, Questions, and Effectiveness.” Journal of the American Society for Information Science 39:3 (May 1985), pp.177-196.

Schamber, Linda. “Users’ Criteria for Evaluation in a Multimedia environment.” In Proceedings of 54th Annual Meeting of the

American Society for Information Science, Washington, D.C., October 27-31, 1991, vol. 28, edited by Jose-Mario Griffiths, pp.126-133. Medford, N.J. : Learned Information, 1991.

Schamber, Linda, Michael B. Eisenberg, and Michael S. Nilan. "A Re-Examination of Relevance: Toward a Dynamic, Situational Definition." Information Processing & Management 26:6 (1990), pp.755-776.

Smithson, Steve. "Information Retrieval Evaluation in Practice: A Case Study Approach." Information Processing & Management 30:2 (1994), pp.205-221.

Soergel, Dagobert. "Indexing and Retrieval Performance: The Logical Evidence." Journal of the American Society for Information Science 45:8 (1994), pp.589-599.

Sperber, Dagobert, and D. Wilson. Relevance: Communication and Cognition. Cambridge, N.A. : Harvard University Press, 1986.

Su, Louise T. "Evaluation Measures for Interactive Information Retrieval." Information Processing & Management 28:4 (1992), pp.503-516.

--------. "Is Relevance an Adequate Criterion for Retrieval System Evaluation: An Empirical Inquiry into the User's Evaluation." In Proceedings of the 56th Annual Meeting of the American Society for Information Science, Columbus, Ohio, October 24-

28, 1993, edited by Susan Bonzi, pp.93-103. Medford, N.J. : Learned Information, 1993.

--------. "The Relevance of Recall and Precision in User Evaluation." Journal of the American Society for Information Science 45:3 (April 1994), pp.207-217.

Sutton, Stuart A. "The Role of Attorney Mental Models of Law in Case Relevance Determinations: An Exploratory Analysis." Journal of the American Society for Information Science 45:3 (April 1994), pp.186-200.

Swanson, Don R. "Some Unexpected Aspects of the Cranfield Tests of Indexing Performance Factors." The Library Quarterly 41:3 (July 1971), pp.223-228.

--------. "Subjective versus Objective Relevance in Bibliographic Retrieval Systems." Library Quarterly 56:4 (1986), pp.389-398.

Tague-Sutcliffe, Jean M. "The Pragmatics of Information Retrieval Experimentation, Revisited." Information Processing & Management 28:4 (1992), pp.467-490.

--------. "Some Perspectives on the Evaluation of Information Retrieval Systems." Journal of the American Society for Information Science 47:1 (January 1996), pp.1-3.

Thomas, Nancy P. "Information-Seeking and the Nature of Relevance: PH. D. Student Orientation as an Exercise in Information Retrieval." In Proceedings of the 56th Annual Meeting of the American Society for Information Science, Columbus, Ohio, October 24-28, 1993, edited by Susan Bonzi, pp.126-130. Medford, N.J. : Learned Information, 1993.

Vickery, B. C. "The Structure of Information Retrieval Systems." In Proceedings of the International Conference on Scientific Information, February 1958, pp.1275-1289.

--------. "Subject Analysis for Information Retrieval." In Proceedings of the International Conference on Scientific Information, February 1958, pp.855-865.

Wagner, Elaine. "False Drops: How They Arise...How to Avoid Them." Online 10:5 (September 1986), pp.93-96.

White, Marilyn Domas. "Communication Behavior of Academic Economists." Ph. D. diss., University of Illinois at Urbana-Champaign, 1971.

--------. "The Communication Behavior of Academic Economists in Research Phases." Library Quarterly 45:4 (October 1975), pp.337-354.

Wilson, Patrick. "Communication Efficiency in Research and Development." Journal of the American Society for

Information Science 44:7 (August 1993), pp.376-382.

--------. "Situational Relevance." Information Processing & Management 9 (1973), pp.457-471.

--------. "Some Fundamental Concepts of Information Retrieval." Drexel Library Quarterly 14:2 (April 1978), pp.10-24.

--------. "Unused Relevant Information in Research and Development." Journal of the American Society for Information Science 46:1 (1995), pp.45-51.

--------. "The Value of Currency." Library Trends 41:4 (Spring 1993), pp.632-643.

附錄 A：檢索者背景問卷

姓名：＿＿＿＿＿＿＿＿

聯絡地址：＿＿＿＿＿＿＿＿＿＿＿＿＿＿　電話：＿＿＿＿＿

1. 系級 ＿＿＿＿ 系 ＿＿＿＿ 組
2. 年級 ＿ 大一 ＿ 大二 ＿ 大三 ＿ 大四 ＿ 碩士班 ＿ 博士班
3. 請說明您對下列電腦經驗的熟悉程度：

	非常不熟悉	....	....	....	.非常熟悉
文書處理	1	2	3	4	5
試算表軟體（如：Lotus..）	1	2	3	4	5
應用軟體（如：dBASE...）	1	2	3	4	5
程式設計	1	2	3	4	5

4. 您是否曾使用過光碟資料庫檢索資料？

＿＿＿ 是 （請略計您上學期使用過的次數 ＿＿＿ 次）

＿＿＿ 否

5. 您是否曾使用過 DIALOG 指令語言檢索資料？（包含光碟版的 DIALOG 指令檢索）

＿＿＿ 是 （請略計您上學期使用過的次數 ＿＿＿ 次）

＿＿＿ 否

6.您是否曾有任何圖書館線上公用目錄（ OPAC ）的檢索經驗？

＿＿＿ 是 （請略計您上學期使用過的次數 ＿＿＿ 次）

＿＿＿ 否

附錄 B：檢索問題資料背景問卷

姓名：＿＿＿＿＿＿＿＿

1. 請您對您的檢索問題做較仔細完整的敘述說明。

2. 請問您此次檢索的目的為：

＿＿ 博碩士論文

＿＿ 學期報告

＿＿ 自行研究

＿＿ 其他（請註明＿＿＿＿＿＿＿＿＿＿＿＿）

3. 請問您目前的研究進行到什麼階段？

＿＿ 計畫構想之初

＿＿ 選定研究主題

＿＿ 確定研究主題的焦點

＿＿ 建立假設

＿＿ 設計研究方法與步驟

＿＿ 蒐集相關文獻資料

＿＿ 開始撰寫報告

附錄 B：檢索問題資料背景問卷（續一）

4. a. 請問您目前已掌握的研究相關資料筆數？ ________ 筆

   如果您已在別處找過資料，請說明您找過那些資料：

   b. 您大概花費多少時間找到這些資料？ ________________

5. 請問您在進行此次檢索前所費的準備時間？

   ____ 沒有準備

   ____ 1 至 15 分鐘

   ____ 16 至 30 分鐘

   ____ 31 至 45 分鐘

   ____ 46 至 60 分鐘

   ____ 超過 1 小時

6. 請問您預計需要找到多少篇文章，始有足夠資料撰寫研究報告？

   __________ 篇

7. 請問您對您此次檢索的特定主題熟悉嗎？

   非常不熟悉 ....非常熟悉

   1　　2　　3　　4　　5

8. 您認為系統有相關資料探討您的研究主題嗎？

   非常不可能 ....非常可能

   1　　2　　3　　4　　5

9. 您認為您可以找到這些相關資料嗎？

   非常不可能 ....非常可能

   1　　2　　3　　4　　5

附錄 C：相關判斷表

編號：________
費時：________

資料序號	判 very relevant	斷 relevant	結 marginal relevant	果 irrelevant	判斷相關的欄位	曾瀏覽過那些欄位	花費時間（秒）
1.	___ 非常相關	___ 相關	___ 部分相關	___ 不相關	TI AU SO AB DE KE	TI AU SO AB DE	______
2.	___ 非常相關	___ 相關	___ 部分相關	___ 不相關	TI AU SO AB DE KE	TI AU SO AB DE	______
3.	___ 非常相關	___ 相關	___ 部分相關	___ 不相關	TI AU SO AB DE KE	TI AU SO AB DE	______
4.	___ 非常相關	___ 相關	___ 部分相關	___ 不相關	TI AU SO AB DE KE	TI AU SO AB DE	______
5.	___ 非常相關	___ 相關	___ 部分相關	___ 不相關	TI AU SO AB DE KE	TI AU SO AB DE	______
6.	___ 非常相關	___ 相關	___ 部分相關	___ 不相關	TI AU SO AB DE KE	TI AU SO AB DE	______
7.	___ 非常相關	___ 相關	___ 部分相關	___ 不相關	TI AU SO AB DE KE	TI AU SO AB DE	______
8.	___ 非常相關	___ 相關	___ 部分相關	___ 不相關	TI AU SO AB DE KE	TI AU SO AB DE	______

附錄 C：相關判斷表（續一）

編號：________
費時：________

資料序號	判 very relevant	斷 relevant	結 marginal relevant	果 irrelevant	判斷相關的欄位	曾瀏覽過那些欄位	花費時間（秒）
9.	___ 非常相關	___ 相關	___ 部分相關	___ 不相關	TI AU SO AB DE KE	TI AU SO AB DE	________
10.	___ 非常相關	___ 相關	___ 部分相關	___ 不相關	TI AU SO AB DE KE	TI AU SO AB DE	________
11.	___ 非常相關	___ 相關	___ 部分相關	___ 不相關	TI AU SO AB DE KE	TI AU SO AB DE	________
12.	___ 非常相關	___ 相關	___ 部分相關	___ 不相關	TI AU SO AB DE KE	TI AU SO AB DE	________
13.	___ 非常相關	___ 相關	___ 部分相關	___ 不相關	TI AU SO AB DE KE	TI AU SO AB DE	________
14.	___ 非常相關	___ 相關	___ 部分相關	___ 不相關	TI AU SO AB DE KE	TI AU SO AB DE	________
15.	___ 非常相關	___ 相關	___ 部分相關	___ 不相關	TI AU SO AB DE KE	TI AU SO AB DE	________
16.	___ 非常相關	___ 相關	___ 部分相關	___ 不相關	TI AU SO AB DE KE	TI AU SO AB DE	________

附錄 D：尋找資訊需求者之公告

您好：

我們正在進行一項文獻檢索相關判斷之調查研究，研究中將深入探討線上檢索書目被引用的情形，因此我們需要蒐集學生們的資訊需求與檢索書目進行分析；我們將免費提供國際百科線上資料庫（DIALOG），由您提出您的資訊需求（即您的學期報告或論文題目），經由我們解釋檢索指令，請您親自上機檢索，可為您檢索到所需的相關書目資料，提供您撰寫論文或學期報告上之參考。在學期中，只要您有檢索需求，可以無限次數的使用 DIALOG 系統。

DIALOG 線上資料庫中包含四百多個資料庫，涵蓋所有學科領域，一般常用的光碟資料庫均在收錄之列，如：PSYLIT、MEDLINE、BIOSIS、COMPENDEX、SCI 等。由於線上資料庫較光碟資料庫擁有更多的優點，除了能同時檢索多個資料庫外，其亦擁有新穎性較高的資料（線上資料庫多為每周更新或每日更新），同時回應的速度也較快；但由於連線費用昂貴，每次檢索不下數千元，同時檢索指令也較為複雜，因此國內學生的利用情況較不普遍。此次免費檢索的機會，企盼您能踴躍利用與配合！

惟檢索完成後，請您配合我們簡短的問卷調查，並將您日後完成的報告或論文引用書目，提供我們分析。欲利用此項檢索服務的同學，請與我們連絡，如有任何疑問歡迎洽詢討論。

國立台灣大學圖書館學系
副教授　黃慕萱 謹啓
1995.03.15

附錄 E：國際百科檢索使用說明

一、簡介

國際百科資料庫（DIALOG）為營利性之資訊檢索系統，目前收錄450多個不同主題之資料庫，提供使用者線上即時之資訊檢索服務。

二、檢索指令

指　令	簡寫	功　能	實　例	說　明
begin	b	選擇資料庫或清除檢索組	begin b 38, 50 b 1	選擇單一資料庫。 選擇二個以上資料庫。 清除原先所建立之檢索組。
select steps	ss s	輸入檢索指令	ss cable/ti, de s s3 and dance	尋找題名及敘述語中出現“cable”一字的文獻。 尋找 s3 檢索組中出現“dance”一字的文獻。
type	t	連續顯示檢索結果	t 3/5/5 t s6/2/all	指令格式： t 檢索組號碼/列印格式/列印範圍 列印格式代碼說明： 1:列印資料登錄號 2:摘要以外的所有資料欄位 3:題名、作者及資料來源 5:所有的資料欄位 6:題名 7:題名、作者、資料來源、摘要 8:題名和索引用語 9.全文

指　令	簡寫	功　能	實　例	說　明
display	d	一次顯示一螢幕大小之檢索結果	d s8/9/2 d s23/2/1-30	指令格式： d 檢索組號碼/列印格式/列印範圍
display sets	ds	回顧檢索過程	ds	顯示 begin 後的所有檢索過程
logoff		結束檢索並離線	logoff	離開系統

三、常見的檢索型態

1. 作者檢索

請輸入“au=”及“姓，名”（注意：請將“姓”放前面，“名”放後面）

範例：

ss　au=smith, m?

將可檢索出姓“Smith”，名字首字為“M”之作者的文章，如 Smith, Mary 和 Smith, Mark 等。

ss　au=smith, michael?

將可檢索出姓“smith”，名字中有“Michael”之作者的文章，如 Smith, Michael John 等。

2. 題名檢索

請輸入題名中出現的關鍵字，並加入“/ti”。

範例：

ss　(citation? and performance and academic) /ti

將可檢索出“Citation-Based Auditing of Academic

Performance."一文。

3. 主題檢索

可使用自然語彙或是控制語彙進行主題查詢。

範例：

ss　cuba? and missile and crisis

ss　supreme (w) court? and nomina?

ss　supreme (w) court? /de

ss　space (w) shuttle? or shuttle? or space (w) ship?

4. 限定欄位檢索

限定檢索欄位可以加快檢索速度，減少檢索到不相關資料的可能性，例如：將檢索用語限制於題名（TI）或敘述語（DE）兩欄位，以提高檢索的精確率。

範例：

ss　automobile (w) tire /ti

意即限定 automobile 及 tire 兩字必須連在一起，而且僅於題名欄檢索。

ss　(online and thesaurus) /ti, de

即 online 和 thesaurus 兩字必須出現，而且僅於題名欄和敘述語欄檢索。

四、修改檢索策略

1. 擴大檢索範圍

※使用同義字，並以"OR"連結。

範例：

ss　revolt? or rebel? or uprising?

※使用切截（truncation）功能

範例：

ss　librar?

將檢索出 library，libraries，librarian，librarianship 等字。

※減少檢索概念

範例：

ss　quaker? and antislavery? and Maryland

經減少一檢索概念後可變成

ss　quaker? and antislavery?

2. 縮小檢索範圍

※利用“AND”連結相關概念

範例：

ss　faulkner and southern and literature

※將檢索欄位限定在敘述語欄位

範例：

ss　supreme (w) court /de

ss　migration /de

※使用相近運算元（proximity operators）

(w) ：限定兩個語彙必須連在一起，且前後次序不可顚倒。

(nw)：限制兩個語彙中間，可相隔n個字以內，但前後次序不變。

(N) ：限定兩個語彙必須連在一起，但前後次序可變換。

(nN)：限定兩個語彙中間，可相隔n個字以內，且前後次序可變換。

範例：

ss　pullman (w) strike

（pullman和strike兩個語彙必須連在一起，且前後次序不可顚倒）

ss　cuba? (1w) crisis

（限制兩個語彙中間，可相隔一個字以內，但前後次序不變）

ss　nixon (n) richard

（限定兩個語彙必須連在一起，但前後次序可變換，為作者檢索的最佳方式）

ss　watergate (2n) scandal

（限定兩個語彙中間，可相隔2個字以內，且前後次序可變換）

Building Block Strategy

將檢索問題分解為若干個主題層面，並判斷各主題層面之邏輯關係，再將各主題層面利用“AND”、“OR”、“NOT”加以運算組合。

範例：想要尋找有關利用電腦教學學習外國語文的相關資料。

檢索步驟：

1. 將檢索問題分解為若干個主題概念；並判斷三者之間的邏輯關係為 AND 、 OR 或 NOT 。

   如 "Computer" 、"Teach" 和 "Foreign languages" ，三者之間的邏輯關係是 "AND" 。

2. 將分解的概念轉換為檢索詞彙。

   如 "Computer" 和 "Teach" 兩個主題概念結合為檢索詞彙，即 Computer Assisted Instruction 或 CAI 。

   同時，找出 "Foreign languages" 的相關字、同義字、狹義字、或類同義字，如 English ，French 等等。

3. 將轉換成的檢索詞彙利用 "AND" 、 "OR" 、 "NOT" 加以運算組合。

   概念 1 ： ss computer assisted instruction or CAI

   概念 2 ： ss foreign languages or English or French or ...

以下以圖形說明分區組合檢索的意義。

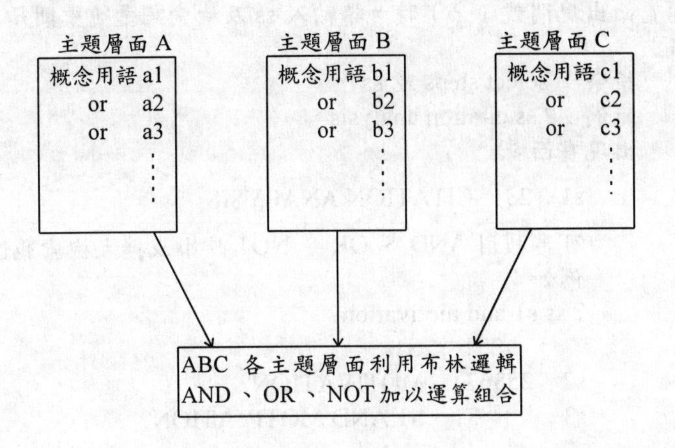

1. 選擇資料庫

各學科資料庫編號請參考 Database Catalog。

指令：begin 或 b

範例：? b1

出現畫面：

```
14mar95   00:23:30   User738530     Session B98.1

$ 0.50    0.033 Hrs FileHomeBase
$ 0.50    Estimated cost FileHomeBase
$ 0.10    ANSNET
$ 0.60    Estimated cost this search
$ 0.60    Estimated total session cost        0.033 Hrs.
File      1:ERIC      1966-1995/Feb
          (c) format only 1995 Knight-Ridder Info

Set       Item        Description
```

2. 選擇檢索詞彙

當畫面出現問號（？）時，請輸入 ss 及檢索詞彙（中間須空一格）。

指令： select steps 或 ss

範例：? ss citation analysis

出現畫面：

s1 231 CITATION ANALYSIS

可再利用 AND 、 OR 、 NOT 縮小或擴大檢索範圍，例如：

? ss s1 and motivation?

	231	S1
s2	25363	MOTIVATION?
s3	3	S1 AND MOTIVATION?

3. 顯示檢索結果

(1) 連續顯示檢索結果時，請輸入 type 或 t 。

範例：

? t s3/5/1-2

（s3 代表第 3 個檢索組，5 代表列印所有的資料欄位，1-2 代表列印第 1 篇到第 2 篇）

出現畫面：

3/5/1

DIALOG (R) File 1: ERIC

(c) format only 1995 Knight-Ridder Info. All rts. reserv.

EJ384401 IR519327

Author Motivation for Not Citing Influences: A Methodological Note.

MacRoberts, M. H.； MacRoberts, B. R.

Journal of the American Society for Information Science ； v39 n6 p432-33

Nov 1988 Available from: UMI

Language: English

Document Type: JOURNAL ARTICLE (080)； EVALUATIVE REPORT (142)

Journal Announcement: CIJJUN89

Discusses the need to incorporate uncited influences, as well as cited, in citation analysis and the study of citer motivation. The discussion is illustrated with an example of the process of deciding which influences to cite and which not to cite. (eight references) (CLB)

*Citation Analysis；*Citations (References)；*Research Needs；*Writing for Publication

3/5/2

DIALOG (R) File 1: ERIC

EJ331760 IR514971

Evidence of Complex Citer Motivations.

Brooks, Terrence A.

Journal of the American Society for Information Science ； v37 n1 p934-36 Jan 1986

Available from: UMI

Language: English

Document Type: JOURNAL ARTICLE (080)； RESEARCH REPORT (143)

Journal Announcement: CIJJUN86

Target Audience: Researchers

Group of 20 scholars attributed 29.3 percent of 437 references they had cited to one of seven motives, which describing motives for majority (70.7 percent) of references as combinations. Clustering of citer motives showed three groupings: (1) persuasiveness, positive credit, currency, social consensus；(2) negative credit；(3) reader alert, operational information. (12 references) (EJS)

Descriptors: *Authors ；*Citations (References)； Cluster Analysis ； Correlation ； Factor Analysis ；*Indexing ； Interviews ；*Motivation ； Research Methodology ；

Tables (Data)

Identifiers: Citation Analysis ；*Scholars

(2) 一次顯示一螢幕大小之檢索結果時，請輸入 display 或 d

範例：

? d s3/2/1

（s3 代表第 3 個檢索組，2 代表列印摘要以外的欄位資料，1 代表顯示第 1 筆記錄）

4. 回顧檢索步驟時，請輸入 display sets 或 ds

範例：? ds

出現畫面：

S1	231	CITATION ANALYSIS
S2	25363	MOTIVATION?
S3	3	S1 AND MOTIVATION?

將檢索結果由線上螢幕顯示，以便離現後可由印表機印出。

5. 離開系統

指令：LOGOFF

範例：? logoff

出現畫面：

14mar95　00:23:30　User738530　Session B98.1

$ 0.99　0.066 Hrs　File1

$ 0.00　3 Type(s) in Format 5

$ 0.00　3 Types

$ 0.00　View Fee

$ 0.99　Estimated cost File1

$ 0.20 ANSNET

$ 1.19 Estimated cost this search

$ 1.79 Estimated total session cost 0.100 Hrs.

附錄 F：檢索者個人背景資料編碼

位址	性質	說明
1-2	檢索者代碼	
3	檢索者身分院別	1:文學院　2:工學院 3:法學院　4:醫學院 5:農學院　6:管理學院 7:理學院　8:其他
4-5	檢索者身分系別	01:圖書館學　02:土木 03:心理　04:資訊 05:電機　06:化工 07:森林　08:材工 09:機械　10:農化 11:化學　12:農藝 13:環工　14:動物 15:植病　16:其他
6	年級	1:大一 2.大二 3.大三 4.大四 5.碩士 6.博士 7.教師 8.研究人員
	說明對下列電腦的熟悉程度：	
7	文書處理	
8	試算表軟體	
9	應用軟體	非常不熟悉　非常熟悉
10	程式設計	1. . . . 2. . . . 3. . . . 4. . . . 5
11	是否使用過光碟資料庫	1:是　2:否
12-13	使用次數	直接編碼
14	是否使用過 DIALOG 檢索資料	1:是　2:否
15-16	使用次數	直接編碼
17	是否使用過圖書館線上公用目錄	1:是　2:否
18-20	使用次數	直接編碼

附錄G：檢索問題資料編碼

位址	性質	說明
1-2	流水號	
3-4	檢索者代碼	
5	檢索次數別	
6	檢索者身分院別	1:文學院 2:工學院 3:法學院 4:醫學院 5:農學院 6:管理學院 7:理學院 8:其他
7-8	檢索者身分系別	01:圖書館學 02:土木 03:心理 04:資訊 05:電機 06:化工 07:森林 08:材工 09:機械 10:農化 11:化學 12:農藝 13:環工 14:動物 15:植病 16:其他
9	年級	1:大一 2.大二 3.大三 4.大四 5.碩士 6.博士 7.教師 8.研究人員
	說明對下列電腦的熟悉程度	
10	文書處理	
11	試算表軟體	
12	應用軟體	非常不熟悉 非常熟悉
13	程式設計	1....2....3....4...5

附錄 G：檢索問題資料編碼（續一）

位址	性　　質	說　　明
14	是否使用過光碟資料庫	1:是　　2:否
15-16	使用次數	直接編碼
17	是否使用過 DIALOG 檢索資料	1:是　　2:否
18-19	使用次數	直接編碼
20	是否使用過圖書館線上公用目錄	1:是　　2:否
21-23	使用次數	直接編碼
24	此次檢索目的	1:博碩士論文 2:學期報告 3:自行研究 4:發表學術論文 5:國科會計畫
25	目前研究進行到什麼階段	1:計畫構想之初 2:選定研究主題 3:確定研究主題的焦點 4:建立假設 5:設計研究方法與步驟 6:蒐集相關文獻資料 7:開始撰寫研究報告
26-28	已掌握的資料筆數	
29-38	說明找過那些資料	29:使用光碟資料庫 30:使用印刷式的索引摘要 31:Internet 資源 32:圖書館的期刊 33:圖書館圖書

附錄 G：檢索問題資料編碼（續二）

位址	性質	說明
		34:圖書館 OPAC 35:其他校外圖書館館藏 36: FirstSearch 37: DIALOG code 1:代表有 38:其他 code 2:代表無
39-45	花費多少時間找到這些資料（分）	
46	先前準備的時間	1:沒有準備 2:1-15 分 3:16-30 分 4:31-45 分 5:46-60 分 6:超過 1 小時
53-55	檢索書目總數	
56-58	參考書目總數	
59-60	被引用的篇數	
61-63	不被引用的篇數	
64-65	判斷非常相關的篇數	
66-67	判斷相關的篇數	
68-69	判斷部份相關的篇數	
70-72	判斷不相關的篇數	

附錄 H：各篇檢索所得書目資料編碼

位址	性質	說明
1-4	流水號	
5-6	檢索者代碼	
7	檢索次數（第幾次）	
8	相關判斷	1:非常相關 2:相關 3:部分相關 4:不相關
9-15	判斷相關的欄位 code 1:據以判斷相關 code 2:不為判斷之欄位	9:TI　10:AU 11:SO　12:AB 13:DE　14:KE 15:其他
16-21	瀏覽的欄位 code 1:表示瀏覽 code 2:表示未瀏覽	16:TI　17:AU 18:SO　19:AB 20:DE　21:其他
22-27	花費時間	以秒為單位
28	是否引用	1:引用 2:不引用
29-30	相關不引用的原因	01:找不到原文 02:找到文章後，發現其研究焦點與本研究無關 03:時間來不及，根本沒看完 04:當作背景知識 05:根本沒有時間找出此文獻 06:當時太倉促，判斷錯誤，實為不相關

附錄 H：各篇檢索所得書目資料編碼（續一）

位址	性　　質	說　　明
		07:因研究題目的重點稍有轉變，所以不引用。 08:因資料語文非英文，所以看不懂 09:資料太舊已過時 10:此篇文章之內容已涵蓋於他篇文獻中，故不重複引用 11:僅參考研究方法（或實驗材料），並未直接引用該文獻 12:文章內容艱深，難以理解 13:沒印象，不記得是什麼原因 14:再度瀏覽摘要時，認為文章之相關度並不高，所以根本未去找出原文 15:文中雖有實際引用，但並未於參考書目中列出 16:有關此主題的引用文獻已經夠多，不須引用太多 17:因實驗結果與預期不符，所以不引用找到的資料
31-32	不相關卻引用的原因	01:原先判斷不相關，後因其他相關文獻引用此篇，始知此篇相關度很高 02:後來發現實驗結果相同，可為佐證之用

附錄 I：各篇參考書目資料編碼

位址	性　質	說　明
1-2	流水號	
5-6	檢索者編碼	
7	檢索總次數	
8	參考書目語文	1:中文　2:英文
9	是否為檢索所得之文章	1:檢索　0:非檢索來源
10-11	非檢索所得的來源	01:教師提供之參考書目及教科書 02:光碟資料庫檢索 03:圖書館 OPAC 04:由架上瀏覽或新書展示架 05:定期翻閱新到期刊 06:由其他文獻的參考書目得知 07:由其他地方查詢 DIALOG 08:該實驗室曾發表的作品 09:該學域經典之作或核心期刊 10:翻閱會議論文所得 11:原先已有之文獻 12:校外圖書館館藏 13:由同學或學長口中得知 14:為研究室藏書 15:文章作者所提供 16:已知的期刊專刊

附錄I：各篇參考書目資料編碼（續一）

位址	性質	說明
		17:學長姐/弟妹之論文或學期報告 18:自己買的資料 19:翻閱索引摘要工具 20:指導教授所發表之文獻 21:圖書館之參考工具書 22:自我引用之文獻 23:無法確定來源 24:專題演講之演講稿 25:期刊之年度彙積索引 26:從 Internet 取得

附錄J：各篇報告資料編碼

位址	性質	說明
1-2	流水號	
3-4	檢索者代碼	
5	總檢索次數	
6-7	引用篇數	
8-10	參考書目總數	
11-13	中文參考書目總數	
14-16	西文參考書目總數	
17-18	被引用書目分佈在非常相關判斷的篇數	
19-20	被引用書目分佈在相關判斷的篇數	
21-22	被引用書目分佈在部分相關判斷的篇數	
23-24	被引用書目分佈在不相關判斷的篇數	
25-30	註釋與參考書目重複的比例	註釋出現在參考書目的數量/參考書目
31-45	低引用率的原因 code 1:表示有 code 0:表示無	31:難以取得原文 32:時間匆促，來不及完全閱讀資料 33:研究已近結束階段，此次檢索僅為補充資料

附錄 J：各篇報告資料編碼（續一）

位址	性　　質	說　　明
		34:已掌握部分資料，此次檢索僅為補充資料 35:未充分掌握檢索詞彙，故檢索到許多不相關資料 36:找到原文後，發現該文獻之研究重點或研究方法與想像有所出入 37:因投稿文章篇幅設限，所以使用的參考資料不宜太多 38:檢索時即使文章相關度不高亦不願錯過，但實際引用時，只會引用相關度較高之文章 39:檢索時研究主題尚稱模糊，檢索結果只為協助確定研究範圍

附錄J：各篇報告資料編碼（續二）

位址	性　質	說　明
		40:某些主題後來被排除在研究範圍之外，故此部分資料不加以引用 41:資料語文非英文 42:大部分文獻僅為參考其研究方法，主題關係不大 43:資料過時，故不引用 44:資料內容艱深，不易理解 45:研究此主題之學者仍屬少數，故檢出之相關文獻不多
46	檢索者年級	1:大一 2:大二 3:大三 4:大四 5:碩士 6:博士 7:教師 8:研究人員

附錄 J：各篇報告資料編碼（續三）

位址	性質	說明
47	此次檢索目的	1:博碩士論文 2:學期報告 3:自行研究 4:發表學術論文 5:國科會計畫
48	目前研究進行到什麼階段	1:計畫構想之初 2:選定研究主題 3:確定研究主題的焦點 4:建立假設 5:設計研究方法與步驟 6:蒐集相關文獻資料 7:開始撰寫研究報告
49-51	已掌握的資料筆數	
52-54	需要幾篇始有足夠資料撰寫報告	
55	對此次檢索的主題熟悉程度	非常不熟悉 非常熟悉 1...2...3...4...5
56	認為系統有相關資料探討您主題的程度	非常不可能 非常可能 1...2...3...4...5
57	認為您可以找到這些資料的程度	非常不可能 非常可能 1...2...3...4...5

中 文 索 引

五畫

六畫

七畫

八畫

九畫

十畫

十一畫

十二畫

十三畫

十四畫

十五畫

十六畫

十七畫

十八畫

十九畫

二十二畫

二十三畫

英文索引

< N >

< P >

國家圖書館出版品預行編目資料

資訊檢索中『相關』概念之研究/黃慕萱著，--初版--
臺北市：臺灣學生，民85
面；　公分
參考書目：面
含索引
ISBN 957-15-0748-2(精裝)
ISBN 957-15-0749-0(平裝)

1.資訊儲存與檢索系統

028　　85003360

資訊檢索中『相關』概念之研究

著作者：黃慕萱
出版者：臺灣學生書局
發行人：丁文治
發行所：臺灣學生書局
臺北市和平東路一段一九八號
郵政劃撥帳號〇〇〇二四六六八號
電話：三六三四一五六
傳真：三六三六三三四
本書局登記證字號：行政院新聞局局版台業字第一一〇〇號
印刷所：常新印刷有限公司
地址：板橋市翠華街8巷13號
電話：九五二四二一九

定價　精裝新臺幣三五〇元
　　　平裝新臺幣二八〇元

中華民國八十五年四月初版

02323

ISBN 957-15-0748-2（精裝）
ISBN 957-15-0749-0（平裝）

臺灣學生書局出版

圖書館學與資訊科學叢書

①中國圖書館事業論集	張錦郎著
②圖書・圖書館・圖書館學	沈寶環著
③圖書館學論叢	王振鵠著
④西文參考資料	沈寶環著
⑤圖書館學與圖書館事業	沈寶環編著
⑥國際重要圖書館的歷史和現況	黃端儀著
⑦西洋圖書館史	Elmer D. Johnson著 尹定國譯
⑧圖書館採訪學	顧敏著
⑨國民中小學圖書館之經營	蘇國榮著
⑩醫學參考資料選粹	范豪英著
⑪大學圖書館之經營理念	楊美華著
⑫中文圖書分類編目學	黃淵泉著
⑬參考資訊服務	胡歐蘭著
⑭中文參考資料	鄭恆雄著
⑮期刊管理及利用	戴國瑜著
⑯兒童圖書館理論／實務	鄭雪玫著
⑰現代圖書館系統綜論	黃世雄著
⑱資訊時代的兒童圖書館	鄭雪玫著
⑲現代圖書館學探討	顧敏著
⑳專門圖書館管理理論與實際	莊芳榮著
㉑圖書館推廣業務概論	許璧珍著
㉒線上資訊檢索——理論與應用	蔡明月著
㉓現代資訊科技與圖書館	薛理桂著
㉔知識之鑰——圖書館利用教育	蘇國榮著
㉕圖書館管理定律之研究	廖又生著

㉖外文醫學參考工具書舉要	顏澤湛編著 沈寶環校正
㉗圖書館讀者服務	沈寶環主編
㉘臺灣鄉鎮圖書館空間配置	林金枝著
㉙圖書館事業何去何從	沈寶環著
㉚參考工作與參考資料 一英文一般性參考工具書指南	沈寶環編著
㉛比較圖書館學導論	薛理桂主編
㉜資訊檢索中『相關』概念之研究	黃慕萱著

圖書館學類圖書

書名	作者
①圖書館學	中國圖書館學會出版委員會編
②Librarianship in World Perspective（圖書館學的世界觀）	李華偉著
③圖書館規劃之研究	盧秀菊著
④圖書選擇法	王振鵠編著
⑤參考服務與參考資料	薛文郎著
⑥自動化書目的資訊服務	徐小鳳著
⑦圖書館資訊系統之探討	劉春銀著
⑧縮影媒體與圖書館——在圖書館應用的可行性研究	黃維綱著
⑨圖書館自動化導論	張鼎鍾編著
⑩（增訂版）歷屆高普考圖書館學試題詳解	本局編輯部編

臺灣學生書局出版

圖書館學小叢書